TESOROS
DE LA PINTURA
EN EL
PRADO

COLECCION

TESOROS DE LOS GRANDES MUSEOS

Dirección

TEODORO MICIANO

Catedrático de la Escuela de Bellas Artes
de San Fernando, Madrid

EL IMPRESIONISMO en el Louvre

EL ERMITAGE de Leningrado

EL PRADO, Madrid

LA NATIONAL GALLERY, Londres

LA "ESCUELA DE PARÍS"
en el Museo de Arte Moderno

LA GALERÍA DE DRESDE

EL LOUVRE, París

LOS OFICIOS Y EL MUSEO PITTI,
Florencia

LA PINACOTECA DE MUNICH

LOS MUSEOS DE HOLANDA

LA NATIONAL GALLERY,
Washington

EL MUSEO DE ARTE MODERNO,
Nueva York

EDICIONES DAIMON. Provenza, 284 - BARCELONA
DAIMON MEXICANA, S. A. - Bahía Sta. Bárbara, 20-108 - MÉXICO, 17-D. F.

F. J. SÁNCHEZ CANTÓN

Director del Museo del Prado

TESOROS
DE LA PINTURA
EN EL
PRADO

EDICIONES DAIMON - MANUEL TAMAYO

MADRID - BARCELONA - MÉXICO

Título de la obra original:
TRÉSORS DE LA PEINTURE AU PRADO
Ediciones Aimery Somogy, Paris
Maqueta de Jeannine Thibault

Primera edición, 1962
Segunda edición, 1964
Tercera edición, 1966

Número editorial: 79
N. R. 383-62
Depósito Legal: B. 18875-1965

GRAFOS, S. A. ARTE SOBRE PAPEL. Paseo Carlos I, 157 - Barcelona-13

ÍNDICE DE MATERIAS

PRÓLOGO A LA PRIMERA EDICIÓN ESPAÑOLA

A los tres años de correr mundo la edición francesa de este libro, seguida en pocos meses de la inglesa y de la alemana —según noticias, acogidas, en particular la segunda, por el favor del público—, sale la versión española original con la esperanza de obtenerlo. Confío en que no habrá de serle regateado, porque el Museo del Prado es patrimonio español del que cuantos lo somos nos consideramos partícipes. Todavía más, por lo secular de su fundación y de su historia, no sólo los nacidos en la Península, sino los hispanohablantes descendientes de nuestros pasados sienten su vinculación con los tesoros de belleza pictórica en él acumulados por los monarcas que rigieron pueblos de los dos lados del Atlántico.

Quien haya manejado alguna de las ediciones precedentes advertirá en ésta algunas mudanzas; estriban en que el texto preliminar tiene mayor extensión y, asimismo, están ampliadas casi todas las notas afrontadas con láminas en color.

Se han ampliado también en diez las ilustraciones a página entera con cuadros importantes adquiridos de reciente o que por algún motivo se requiere su publicación.

Terminábase la reseña compendiada de la historia del Museo anotando las novedades de finales del año 1958 y en los tres que desde entonces han corrido varias deberán registrarse.

La prosecución de las obras alcanzó que se abriese renovada en julio de 1960 la Galería central, con pavimento de mármol y luz artificial para refuerzo de la solar cuando escasee y para una posible apertura en visita nocturna. En 8 de diciembre de 1960 también, se inauguraron, reinstaladas, las tres Salas de El Greco y las cuatro de Velázquez, más el pasillo contiguo a la de Las Meninas. *En febrero de 1962 se abren las tres que contienen los llamados "cartones para tapices", de Goya, modificados su suelo y su iluminación; la primera de las dos que han de contener los dibujos del mismo artista y la grande destinada a las tablas españolas*

7

del siglo XVI —salvo algunas, todavía del XV—, adornada con esculturas de Carlos V, la Emperatriz, sus hermanas Leonor y María y su hijo Felipe II, obras todas de Los Leoni, excepto el busto de Doña Leonor, esculpido por Jacques Dubroeucq.

Durante el trienio que se reseña en estas líneas, el Prado se enriqueció con donativos y adquisiciones merecedoras de noticia, que incluso piden el aumento de láminas de cuadros que constituyen novedad en los fondos tradicionales.

Al tratar de las ampliaciones, de las recientes instalaciones y de las escuelas nada o escasamente representadas en el Prado, se señalan los motivos de estas deficiencias: los gustos tardíos dominantes respecto de primitivos españoles y, en especial, la relación más o menos tensa en algunos períodos históricos de España con países como la Alemania luterana, Holanda en el siglo XVII, Inglaterra en el mismo siglo y en el siguiente. Adviértase, asimismo, cómo el Patronato del Museo ha procurado colmar tales vacíos. Producto de los planes integradores ha sido el número considerable de pinturas que en los dos últimos decenios han entrado en el Museo pertenecientes a la escuela española cuatrocentista, a la holandesa seiscentista y a la inglesa setecentista.

Vista de El Escorial, por Houasse (Cat. 2269 - Tela. 212 × 146).

El famoso monumento de El Escorial, construido por Felipe II para conmemorar la victoria de las armas españolas en San Quintín, con sus enormes proporciones —206 × 161 metros— pudo albergar holgadamente un monasterio, una residencia y un panteón reales. Pero, además, puede considerarse El Escorial cronológicamente como el primer Museo de España, ya que en él consiguió el monarca, que había heredado de su padre, el Emperador, sus aficiones artísticas y una importante colección de pinturas, reunir más de mil ciento cincuenta lienzos, cifra al parecer inverosímil pero de la que existe prueba documental.

Michel-Ange Houasse (París, 1680 † Arpajón, 1730). Pintor de Cámara de Felipe V durante más de trece años, fue el autor de este cuadro. En su *Vista* nos presenta el monasterio por su fachada principal y escorzada la de mediodía con la característica planicie al fondo y su conjunto de fino colorido que denuncian el estilo paisista francés de la época. Pintó cartones para el taller de tapices de Santa Bárbara, ilustró escenas del *Quijote* e inició en España el uso de las escenas de la vida cotidiana y popular como tema pictórico, pero es el paisaje el género en que se revela su formación.

En el Prado se conservan varios lienzos de este artista, además del aquí reproducido: *La Sagrada Familia con San Juan, Bacanal, Sacrificio a Baco* y el *Retrato de Luis I, rey de España* (v. pág. 302), atribuido a Houasse por Tormo, y que le acredita como el más elegante retratista francés de su época.

Como en otro lugar se indica, cuenta el Prado con una Sala y su pieza de ingreso dedicadas a la pintura inglesa, por lo que se reproducen y comentan dos cuadros de ella.

De primitivos españoles se ha hecho lámina de una de las dos admirables tablas de Fernando Gallego compradas en 1959; la que lleva su firma.

De un fondo ya muy rico en la colección —los cuadros de El Greco— ha parecido inexcusable, sin embargo, incluir el emocionante San Sebastián, obra de los postreros años del artista, que no contaban con representación en los muros del Museo.

Con estas adiciones se acrecienta el conocimiento del estado actual del Prado, lográndose que la publicación española de este libro ofrezca el testimonio de su vitalidad.

Se manifiesta ésta en todos los campos. Antes se aludió a que los naturales del mundo hispánico de más allá del Atlántico consideran al Prado, certeramente, como tesoro de su propia sensibilidad; cual manifestación clara de ello, véase el número de copistas que trabajan en sus Salas, mucho más crecido que en otros grandes Museos del mundo y que, a no dudarlo, se explica por los encargos hechos por quienes conservan admiración a las obras del país de arte de donde salieron o en donde nacieron sus antepasados.

Bastaría sólo la precedente consideración para facilitar con este libro en lengua española el conocimiento de los Tesoros del Prado.

ANTECEDENTES

Siglos XVI-XVIII

En pleno siglo XVI, un gentilhombre del emperador Carlos V, llamado don Felipe de Guevara —nació en Bruselas y murió en 1563—, en libro que permaneció inédito hasta 1788, formula, que yo sepa, por primera vez en España, el deseo de que se exhiban las pinturas, "porque encubiertas y ocultadas se privan de su valor, el cual consiste en los ojos ajenos y juicios que de ellas hacen los hombres de buen entendimiento y de buena imaginación; lo que no se puede hacer sino estando en lugares donde, algunas veces, puedan ser vistas de muchos".

Esta idea, dirigida a Felipe II —a quien dedica Guevara sus *Comentarios de la Pintura*—, hubo de caer en campo fértil. La pasión con que se ha juzgado la personalidad política del hijo del emperador ha impedido el justiprecio de la deuda que artistas y amantes de las Artes, en particular de la pintura, tienen contraída con este soberano. No fue un *amateur*, simplemente, ni un mecenas tan sólo: fue un conocedor.

La Corte castellana era itinerante hasta que la fijó en Madrid Felipe II, al parecer en 1561. Su alcázar, incluso después de las adiciones hechas a mediados del siglo XVI, carecía de salones apropiados para instalar debidamente pintura y el rey proyectó utilizar, por de pronto, el novísimo Palacio de El Pardo para "galería"; las pinturas de techos al fresco, la pieza de estucos con fingidas arquitecturas, etc., sugeríanle la idea de hacer a las puertas de Madrid un Fontainebleau, acaso para complacer a su tercera esposa, Isabel de Valois, hija de Enrique II de Francia, con la que había casado en 1560.

11

El hecho es que en 1564 se hace el inventario del recién construido palacio y se registran noventa y seis cuadros, de ellos cuarenta y cuatro retratos; tres cuadros mitológicos: *La Antíope* —a la que indebidamente llama *Dánae*— de Ticiano, *Hero y Leandro* y *Arión músico*, varios alegóricos, algunos de "género", cartas geográficas y, nótese, sólo dos religiosos: la copia de *El descendimiento de la Cruz* de Van der Weyden —hoy en el Monasterio de El Escorial— y las *Tentaciones de San Antonio Abad,* de El Bosco.

Se dirá que un palacio situado a quince kilómetros del centro de Madrid no podía considerarse realización de los deseos expresados por don Felipe de Guevara: lograr una galería de pinturas visitable. La objeción no es concluyente, porque el gentilhombre del emperador no había de tener el concepto moderno del museo multitudinario, y que la visita estaba consentida en El Pardo se prueba por un curiosísimo texto de 1582.

Cierto genealogista y literato, Gonzalo Argote de Molina, que en Sevilla poseía una casa con pinturas y que tenía gusto por los escritos medievales, publicó en dicho año el *Libro de la montería que mandó escribir el rey Don Alfonso*— el onceno—, hizo preceder este importante tratado de caza del siglo XIV de un "Discurso" preliminar cuyo capítulo XLVII es la *Descripción del bosque y Casa Real del Pardo*. Completa de modo notable las noticias del inventario de dieciocho años antes. En la primera sala: *La Antíope,* de Ticiano; dos muchachas, una con el cabello erizado y otra con barba, pintadas por Antonio Moro; del mismo, un "taller de arreglar fuelles"; de El Bosco, un niño alemán de tres días que parecía de siete años y otras siete tablas de *Tentaciones de San Antonio Abad,* un lienzo con la vista de Fontainebleau, reforzando la hipótesis antes expuesta, y lienzos con las fiestas hechas en Bins a Felipe II por su tía María de Hungría.

Como no se va a copiar toda la descripción basta, al caso, agregar que luego se habla de la Sala Real de los Retratos, mencionándose los pintores Ticiano, Moro, Sánchez Coello y Mestre Lucas —de Heere, o de Holanda—, que, por bajo, tenían vistas de Madrid, Valladolid, Londres, Nápoles y ocho tablas de las jornadas que el emperador hizo en Alemania de mano de Barbalunga —Vermeyen—.

Este primer museo español —o, por lo menos, galería visitable de cuadros— tuvo muy corta vida: el 13 de marzo de 1604 un incendio destruyó gran parte del Palacio y muchas de sus pinturas; no todas, según se creía hace años. No se tardó en ordenar la reconstrucción, que duró catorce. En 1608 se encargó a Juan Pantoja de la Cruz que rehiciese la serie de retratos regios.

Lo que se intentó y la fatalidad frustró en El Pardo pudo conseguirse en forma esplendorosa en El Escorial, la fundación imponente de Felipe II.

En vida suya entregó al monasterio de San Lorenzo el Real de El Escorial hasta 1150 cuadros según cálculo de fray Julián Zarco, que publicó el *Inventario de las alhajas, pinturas..., donadas por Felipe II... 1571-1598* (Madrid, 1930). Claro está que no todas habían de ser obras maestras, aunque muchas lo fuesen; pero el número maravilla.

Hasta qué punto haya de considerarse museo el monasterio escurialense en el siglo de su fundación no es problema que esté resuelto. Las obras de arte encargadas o adquiridas para su adorno eran, sin duda, en el concepto del rey fundador, muestras de devoción. Y si sorprende que puedan entrar en esta categoría algunas pinturas de El Bosco y de Patinir, hay que pensar en lo diferente del concepto según los tiempos. Léase la página en prosa admirable de fray José de Sigüenza probando el valor, como enseñanza moral, del tríptico del primero *El jardín de las delicias* y bastará para persuadirse de la diversa medida existente entonces para juzgar sobre estas materias. Es el propio historiador del gran monasterio quien, hablando de los cuadros del mismo extravagante artista, al decir que están dentro "de sus claustros, de su aposento [del rey], de los capítulos y de la sacristía", viene a declarar que estaban a la vista de los visitantes. Paréceme que la llamada aula del convento era la pieza donde se habían reunido pinturas eminentes; allí estaban, por ejemplo, *La Anunciación,* de Veronés, y *La Natividad,* de Tintoretto, pintadas para el retablo mayor y sustituidas por ser de muy subida calidad para un lugar en donde no se veían bien. Puede suponerse que esa sala fuese como el germen de la instalación de pinturas que, a mediados del siglo siguiente, se encomendó por Felipe IV a Velázquez. Abundan las noticias de que el grandioso monasterio era visitado a la manera de un museo; baste recordar los expresivos textos del pintor y tratadista de pintura Francisco Pacheco que se refiere a su viaje a El Escorial y, también, al que hicieron su yerno y discípulo Velázquez y Pedro Pablo Rubens.

La idea de galería regia de pinturas se iba fraguando. Si el pintor Vicencio Carducho, en 1633, en el Diálogo VIII, dice que *"en una ausencia de su Majestad* le enseñaron todas las pinturas del Alcázar de Madrid", de unos cuarenta años después es el texto del también pintor Jusepe Martínez, que refiere una conversación habida entre Velázquez y Felipe IV, fechable en 1648:

«Propúsole Su Majestad que deseaba hacer una galería adornada de pinturas y para esto que buscase maestros pintores para escoger de ellos los mejores cuadros; a lo cual [Velázquez] respondió: "Vuestra Majestad no ha de tener cuadros que cada hombre los pueda tener." Replicó Su Majestad: "¿Cómo ha de ser esto?". Y respondió Velázquez: "Yo me atrevo, Señor (si vuestra Majestad me da licencia) ir a Roma y Venecia y buscar y feriar los mejores cuadros que se hallen de Ticiano, Pablo Veronés, Bassano, de Rafael de Urbino, del Parmesano y de otros semejantes...".» Como es sabido, el viaje lo hizo el pintor y al regresar, en 1651, trajo consigo cuadros, esculturas y moldes para aquí vaciarlos en bronce.

Mas no se llegó entonces en Madrid a mayor concreción en el plan. En cambio, fue adquiriéndola en El Escorial. En una carta, algo anterior al 17 de diciembre de 1654 —mutilada por un incendio— don Luis Méndez de Haro, marqués del Carpio, escribe a don Alonso de Cárdenas, que en Londres compraba pinturas para Felipe IV: "como [El Escorial] es un teatro a donde continuamente van a parar todo el año tantos extranjeros y lo admiran por maravilla tan grande, holgaría yo que se pudiese ir quitando todo lo malo y subrogándolo". Palabras convincentes de cuanto se viene exponiendo, y de las que se infiere el designio de ir depurando la colección con criterio museístico.

Al publicar fray Francisco de los Santos su *Descripción* del monasterio en 1657, refiriéndose a los Capítulos, esto es, las que hoy llamamos Salas Capitulares, escribe: "ha determinado la Majestad y piedad del Rey... que se adornen, como la Sacristía, con otros [cuadros] más estimables, que se están buscando por su orden". Compruébase que la sacristía se consideraba como lugar para pinturas selectas y, dado su destino, había de poder ser visitada por cuantos lo deseasen; otro tanto se había decidido realizar en las salas capitulares, de mínimo empleo en la vida monasterial. El texto databa de más de un año antes, pues ya en 1656 —según asegura Palomino— había mandado el rey a Velázquez que llevase a San Lorenzo de El Escorial "cuarenta y una pinturas originales, de las cuales hizo el pintor una descripción y memoria, en que da noticias de sus calidades, historias y autores, y de los sitios donde están colocadas".

Estos precedentes españoles de nuestro museo en el siglo XVII van dibujando, no sólo su perfil, sino reuniendo uno de los núcleos principales de sus fondos: pasan de ciento cuarenta las pinturas que de El Escorial entraron en el siglo XIX en el Prado.

Del aprovechamiento de las colecciones reales como museo eficaz da testimonio el hecho de que la pintura española del gran siglo, en particular la escuela de Madrid, carecería de explicación histórica si sus pintores no hubiesen podido estudiar, directamente, los cuadros de Flandes e Italia atesorados en los palacios: sin conocer las obras de Ticiano y de Veronés, de Rubens y de Van Dyck no habrían podido formarse Mazo, Carreño, Cerezo, Claudio Coello; probablemente ni Murillo.

En el siglo XVIII no progresó el plan, aunque será de 1774 la notabilísima carta de Antón Rafael Mengs al viajero Ponz, en la que se lee:

"Desearía yo que en este Real Palacio [el nuevo de Madrid] se hallasen recogidas todas las preciosas pinturas que hay repartidas en los demás Sitios Reales y que *estuviesen puestas en una galería,* digna de tan gran monarca, para poder formarle a usted, bien o mal, un discurso que desde los pintores más antiguos... guiase el entendimiento del curioso hasta los últimos... pero, no habiendo pensado jamás la Corte en formar serie de pinturas, hablaré con interrupción de los artífices de diversos tiempos".

El culto pintor bohemio sostiene la conveniencia de que se constituyese la galería —y hasta parece que defiende la idea de que se hiciese sistemáticamente, aunque ello sorprenda en aquel tiempo— y, desconocedor de los antecedentes de siglo y cuarto atrás reseñados, niega que el plan de un museo se hubiera ocurrido a nadie antes que a él en la Corte española. Tal es, en rigor, la actitud, teñida de la petulancia del artista, engreído por haber visitado otras cortes.

Sobre estos precedentes, separados unos de otros y que muestran cómo la idea del museo se renueva en las mentes de artistas y aficionados españoles de tiempo en tiempo, se precipita la acción decisiva y fundadora en pocos años.

En el mismo en que Mengs escribía su carta se terminaba la reforma del palacio de Goyeneche en la calle de Alcalá (hoy núme-

El martirio de Santa Catalina de Alejandría (Cat. 3039 - Tabla. 1,25 × 1,09). Fernando Gallego (trabajaba entre 1466-7 y 1507).

El Prado, que hasta 1915 no poseía ninguna obra del gran artista castellano o leonés de tiempos de los Reyes Católicos, exhibe hoy cuatro valiosísimas muestras de su genio: *La Piedad,* firmada, reproducida en este libro frente a la página 48; *La Crucifixión; Cristo entronizado bendiciendo,* que se puede admirar frente a la página 88 y la que ahora se comenta, adquirida en 1961.

El conjunto consiente valorar a este vigoroso pintor, comprobando en la tabla firmada y en *La Crucifixión* —obras probablemente juveniles— influencias germánicas, mientras el *Cristo entronizado* es fiel a las de Flandes y en *El martirio de Santa Catalina* su estilo personal aparece fijado y como si hasta vibrase, aunque débilmente, con aires llegados de Italia; quizás el audaz desnudo femenino tendría mediante ellos explicación, por más que sea posterior a la *Eva* del retablo de la capilla del cardenal Mella, de la Catedral de Zamora, porque en la iconografía de la santa no hay otro ejemplo en que la mártir se muestre sin ropajes.

Al famoso escritor francés el abate Bremond se debe un precioso estudio hagiográfico e iconográfico de la bienaventurada que, pese a las escasas precisiones documentales, si alguna puede juzgarse como tal, goza desde el siglo x de culto devoto y extendido.

Se tiene por hija del rey de Cilicia, que como muy docta, encontraba rudos en el saber a todos los aspirantes a su mano; el ermitaño Ananías, cristiano, le habló de un pretendiente distinto, Jesús, que apareciéndosele niño en brazos de la Virgen, se desposó con ella, cambiando sus anillos. Este pasaje, inspirador de tantas obras de arte, no figura en la *Leyenda dorada,* pero lo refiere ya San Vicente Ferrer.

Convertida al cristianismo, fue forzada por el Emperador —Maximino, o Magencio en otra versión— a apostatar. Después de haber discutido con los mayores sabios paganos, a los que confundió y cristianizó, ordena el tirano que sufra el martirio, desde el de azotarla desnuda, llegándose a inventar un artilugio de cuatro ruedas "con cuchillos y navajas" —según el cantar infantil— para aterrorizarla; contemplaba serena Catalina su instalación cuando un ángel —varios en las pinturas— deshace con su espada la tremenda máquina martirial y sus trozos hieren a los verdugos. El tirano decide, por último, que la decapiten.

El pintor narra la dramática escena sin prescindir de pormenores, destacándola sobre fondo de paisaje, con gradual lejanía de dos ciudades; la más cercana, con edificios góticos, dominando la distante una cúpula de carácter oriental.

La composición de la tabla con Maximino, o su representante, ataviado con riqueza, aprovecha variadas y hasta forzadas actitudes, cual si rudimentos del "contrapposto" renacentista hubiesen llegado ya a la meseta castellana. Recuérdense, para refuerzo de tal verosimilitud, las pinturas con alegorías humanísticas ejecutadas por Gallego en la Universidad salmantina.

ro 13), donde, según reza su inscripción: *Carolus III Rex Naturam et Artem sub uno tecto in publicam utilitatem consociavit Anno MDCCLXXIV;* porque en el edificio iban a tener morada, así la Real Academia de Bellas Artes de San Fernando —creada en 1752—, como el Museo de Historia Natural. Pero, y es lo que al caso interesa, para alhajar la instalación, y para servicio de las enseñanzas artísticas que en la Academia se establecían, el rey, por Orden de aquel año, dispuso que allí se trasladasen los cuadros que habían pertenecido a las casas suprimidas de la Compañía de Jesús. Otro núcleo museal quedó, de este modo, establecido en la Corte.

Inesperadamente, logró un considerable aumento, bien que inoperante. El caso merece ser explicado.

La maravillosa colección de cuadros de desnudo reunida en los Palacios Reales, por encargos, o compras, del "tétrico" Felipe II y de Felipe IV, que no habían perturbado los escrúpulos devotos de aquél ni los de su hijo Felipe III "el pío", salvados los de Rubens por intervención del Cardenal infante, resultaron pecaminosos para Carlos III, el rey de las excavaciones de Herculano (¡!), el protector de volterianos, el que expulsó a los jesuitas... En esto anduvo, sin duda, su confesor, el franciscano alcantarino fray Joaquín de Eleta, que era la intransigencia personificada. Al parecer, decidió que se quemasen las joyas de Ticiano, de Rubens, de Durero; mas, al cabo, no ordenó el espantable auto de fe —dícese que por haber mediado Mengs—, pero encomendó a su hijo Carlos IV que lo decretase. La intervención del marqués de Santa Cruz, a la vez mayordomo mayor de Palacio y consiliario de la Real Academia de Bellas Artes, salvó las preciosas pinturas a condición de su encierro (1792 y 1796) en una sala de la Academia, en donde permanecieron muchos años (1827). Hasta qué punto se cumplió la orden de que no se viesen los admirables cuadros no puede graduarse hoy, aunque sea presumible que académicos y artistas maduros tuviesen acceso al escondite extraordinario, pues se preveía la autorización para contemplarlos. Añádase que durante la ocupación de Madrid por las tropas napoleónicas se exhibieron al público, pero también fue, tristemente, ocasión de que se perdiesen dos lienzos de Ticiano: *La Venus dormida* y una *Dánae.*

17

No puede eliminarse en esta revisión de precedentes lo que los acontecimientos de Francia influían en las determinaciones españolas y la propuesta de Bertrand Barère a la Asamblea Constituyente, en 26 de mayo de 1791, que se decretó el 28, para que se crease el Museo del Louvre, iniciativa que no tardó en encontrar eco en Madrid. El 1.º de septiembre de 1800, el ministro Urquijo reitera la orden dada de que se trajesen a la Corte cuadros de Murillo desde Sevilla, "medida conforme a la práctica observada en todas las naciones cultas de Europa. En ellas se cuida de formar en la Corte escuelas y museos".

Revoca Godoy el 28 de junio de 1803 la orden de Urquijo, pero confirma la idea expuesta al mentar el *Museo de Su Majestad:* y en otra disposición, de 8 de julio, se reitera la mención del *Museo de esta Corte.* Todavía aduce don Pedro Beroqui, incansable investigador de la historia del Museo del Prado, otro testimonio de cómo el plan de un museo en Madrid estaba en el aire que se respiraba por aquellos años: es una carta del literato Vargas Ponce a Ceán Bermúdez en que dice que "algo de lo mejor de Murillo no estaría mal colocado en una galería de todo lo mejor nuestro; no estaría fuera de lugar en la ala no labrada del Palacio nuevo, labrándola al intento". Refiérese al cuerpo que podría construirse simétrico al alzado bajo Carlos III sobre la plaza de la Armería.

La enumeración de ideas, planes, ensayos y semirrealizaciones de un gran museo en la capital de España, extendido el concepto a El Escorial, desde 1563 hasta 1808, fecha terminal para nosotros del siglo XVIII, tiene, a mi parecer, el interés de demostrar cómo el Prado no surgió sin una larga y concienzuda gestación.

EL MUSEO JOSEFINO

Llámase Museo Josefino el que proyectó el rey intruso José Bonaparte. No pasó de proyecto, como tantas otras iniciativas suyas que esterilizaron las vicisitudes y el tener por enemigo —según escribía a su hermano el Emperador— *une nation de douze millions d'ha-*

bitants, braves, exaspérés au dernier point. Hombre de claro juicio, nunca se hizo ilusiones de que su trono se estabilizase. El 19 de noviembre de 1810, en carta a su tío el cardenal Fesch, le decía que *connaissant le pays mieux que personne, je sais ce que je puis prometttre et ce je ne dois pas promettre si je veux réussir,* y ya plantea la disyuntiva de retornar a Nápoles, o retirarse a una *terre à cent lieues de Paris.* Vio claro desde muy pronto: *Non Sire* —es frase de la primera carta extractada— *vous êtes dans l'érreur: votre gloire échouera en Espagne.* Pero, entretanto, procuró gobernar la nación que le había correspondido en el familiar reparto de coronas.

El decreto de 20 de agosto de 1809 dispuso la supresión de las Órdenes religiosas y la incautación de sus bienes; entre ellos, las pinturas. Almacenáronse éstas en dos ex conventos y el 20 de diciembre del mismo año ordenaba por decreto, refrendado por Urquijo —el autor de la disposición de 1800 que antes se dio a conocer—, dos medidas de gobierno que cada cual juzgará a su modo, pero la segunda de las cuales subleva la conciencia de los españoles:

"Artículo I. — Se fundará en Madrid un Museo de pintura, que contendrá las colecciones de las diversas escuelas y, a este efecto, se tomarán de todos los establecimientos públicos, y aun de nuestros Palacios, los cuadros que sean necesarios para completar la reunión que hemos decretado.

»Artículo II. — Se formará una colección general de los pintores célebres de la Escuela española, la que ofreceremos a nuestro augusto hermano, el Emperador de los franceses, manifestándole, al propio tiempo, nuestros deseos de verla colocada en una de las salas del Museo Napoleón; en donde, siendo un monumento de la gloria de los artistas españoles, servirá como prenda de la unión más sincera de las dos naciones."

Los demás artículos no interesan ahora y, en realidad, el segundo —que motivó la selección y envío a París de cincuenta cuadros— no sirve aquí más que para precisar con rasgos expresivos el ambiente del momento.

El 22 de agosto siguiente, José Bonaparte destinaba para instalar el museo el Palacio de Buenavista. Construido por la duquesa de

19

Alba —la famosa, y mal conocida, inspiradora de dibujos, grabados y pinturas de Goya, mas no su pasión de por vida—, que no logró ver terminado, fue comprado por el pueblo de Madrid para regalarlo al todopoderoso ministro y favorito Manuel Godoy, que hizo obras complementarias y de decoración, que lo amuebló y que tampoco pudo disfrutarlo porque el motín del 19 de marzo de 1808 determinó su caída.

Además de Urquijo, que con el decreto no hacía más que continuar sus proyectos de ocho años atrás, colaboraba seguramente en su desarrollo un personaje francés, nada simpático a los españoles, M. Frederic Quilliet, a quien el rey José había dado el título de "Conservador de los monumentos de las Artes en los Palacios Reales".

¿Qué se consiguió con todo ello? Apenas hay que decirlo: nada. Parece probable que en el palacio destinado para el flamante museo josefino, a los cuadros que quedaban de la colección formada por Godoy, se sumaron algunos procedentes de los conventos suprimidos. Allí estaban, al menos, cuando volvió Fernando VII.

José Bonaparte no se había hecho ilusiones; ya lo hemos visto. Después de confirmar sus predicciones de 1809, los azarosos años que corrieron hasta el de 1813 no fueron propicios para tareas como la del museo. Quizá sus planes y preparativos le aficionaron a la pintura, pues en su retiro de Suiza, primero, y luego de los Estados Unidos, coleccionó cuadros.

Por desagradable que sea su memoria en España, sería injusto no reconocerle altura de miras y conciencia de la situación sin salida posible para la aventura prodigiosa del Imperio. Su experiencia dictábale en 10 de abril de 1835 estas nobles frases dirigidas a su tío el cardenal:

Tous les anciens serviteurs de l'Empereur ont fait leur paix séparée; on a inauguré sa statute, mais on confisque, on dépouille, on nous calomnie en l'exaltant... Qui fut meilleur pour nôtre mère et pour nous que ce Pie VII après la mort de Napoléon? C'est parce qu'il se reconnaissait pour Vicaire du Christ et que son esprit était avec lui, le jour où il célébrait un service pour son ancien ennemi et qu'il consolait sa mère...

Quien así sentía y quien enjuiciaba de esta manera se alza sobre las caricaturas con que la herida abierta en España le había prodigado, en mínima venganza.

EL MUSEO FERNANDINO

La vuelta al trono de Fernando VII trajo en el ámbito artístico la orden inmediata para que la Academia recogiera los cuadros, guardados en diversos depósitos bajo el gobierno intruso, y formase con ellos un museo. En la Junta que celebró el 15 de junio de 1814 trató del asunto y discutió cuál de dos edificios se preferiría: si el contiguo, llamado Casa Aduana —y luego, y ahora, Ministerio de Hacienda—, o el Palacio de Buenavista. Días antes habían pensado los académicos en la Casa-Almacén de cristales, en la calle hoy llamada del Marqués de Cubas y, entonces, del Turco.

Inclinábase la mayoría de los académicos al palacio —por la fuerza que siempre tienen los precedentes—, pero no se les ocultaba que su estado ruinoso obligaría a gastos muy crecidos.

El 5 de julio visitó la Academia el rey, al que acompañaban su hermano don Carlos María Isidro y su tío don Antonio, y en el acto se leyó la Real Orden, del día anterior, por la que se cedía a la Academia el Palacio de Buenavista para que, trasladada a él, estableciera "una galería de pinturas, grabados, estatuas, planos arquitectónicos y demás bellezas artísticas, con la comodidad y decoro correspondientes, así para la enseñanza... como para satisfacer la noble curiosidad de naturales y extranjeros, y dar a España la gloria que tan justamente merece".

Se vaticinaría que la realización no había de demorarse; sin embargo, fracasó. Contribuyeron a producir el que se frustrase muchas causas: las reclamaciones de los conventos restablecidos para que se les devolviesen los cuadros incautados; los enormes dispendios que exigía la restauración y la habilitación del palacio, para los que la Academia carecía de recursos —¡los disponibles se agotaron en cinco semanas de jornales!— y la intervención —que fue la determinante—

del Real Consejo de Castilla aduciendo razones jurídicas de mucho peso, como la de que el palacio pertenecía a los bienes secuestrados a Godoy, no a los confiscados por el Estado, y que éste no podía disponer de él, en consecuencia.

El 21 de agosto, la Academia renunciaba al edificio y Fernando VII aceptaba la renuncia, prometiendo "proporcionarle local donde se verifiquen sus nobles intenciones y deseos, sin los inconvenientes que en el Palacio de Buenavista".

En el fondo hubo acritudes injustas por parte del Consejo de Castilla contra la Academia, si bien, en rigor, lo ocurrido importa poco: el caso fue que el museo fernandino se desvaneció, como el josefino, antes de nacer.

EL EDIFICIO DEL PRADO

Cuando, uno después de otros, fracasaban los proyectos de José I y de Fernando VII para crear un museo de pinturas en el Palacio de Buenavista, el gran edificio del paseo del Prado de San Jerónimo —al pie del monasterio de este nombre, ya en el siglo XVII vía la más concurrida para el esparcimiento de la capital— iba a ser elemento, inesperadamente decisivo, para resolver el problema cuyos antecedentes quedan expuestos.

Vimos que Carlos III, en 1774, ponía bajo un mismo techo, en la casa de Goyeneche de la calle de Alcalá, al gabinete de Historia Natural y a la Real Academia de Bellas Artes de San Fernando. Pero, sin duda, a su ministro, el conde de Floridablanca, hubo de parecerle consorcio poco fecundo o, por lo menos, local angosto para la convivencia de entidades tan desemejantes. Sugirió al rey la erección de una Academia de Ciencias —creadas ya por Felipe V las de la Lengua y de la Historia y por Fernando VI la de Bellas Artes—; ordenóse la confección de un plan, acabado en 1780, que hubo de dejarse dormir. Se acusó al ministro de que, más que las Ciencias, le importaba la construcción de un gran edificio con amplia fachada que ennobleciese el Prado, y con largo pórtico para paseo cubierto. Convencido el monarca, ordenó en 1785 la edificación destinada a Museo de Ciencias Naturales, por ello contigua al Jardín Botánico, fundado, también, por entonces.

Encargaron el proyecto al arquitecto don Juan de Villanueva (1739-1811), quien presentó los primeros diseños en 30 de mayo de 1785. Se conocen pocas noticias de la marcha de las obras. En 1787 se hicieron modificaciones notables en los planos, prescindiéndose del pórtico cubierto a lo largo de la fachada. En 10 de octubre de 1788 renuncia Floridablanca al ministerio y, al referirse "al magnífico palacio a las Ciencias", "cuya obra se empieza ya a descubrir" y en la "que competirán la grandiosidad con la solidez y la utilidad con la elegancia y la hermosura"; añade que "se halla muy adelantada... donde el riquísimo Gabinete de Historia Natural... el estudio y la Academia de Ciencias Naturales tendrán el domicilio que merecen...".

Por un testimonio, que hasta ahora no se ha aducido, puede hoy decirse que, probablemente en 1806 y, desde luego, antes de 1808, el edificio estaba casi terminado en muros, bóvedas y techumbres.

Un noble gaditano, culto y aficionado a adquirir obras de arte, que había estado en América, comenzó en 1806 la publicación del

Aparición de Jesús, niño, a San Antonio de Padua (Cat. 3007. Lienzo. 2,25 × 1,76). Giovanni Battista Tiépolo (1696-1770).

El nombre del último gran pintor de Venecia, que vivió ocho años en Madrid, donde murió, evoca siempre decoraciones barrocas con alegorías mitológicas, desarrolladas en cielos profundos, luminosos; incluso puede suscitar el recuerdo de composiciones religiosas deslumbradoras; y hasta de escenas de fiestas venecianas, o diversiones elegantes. Sin embargo, en algún caso, como en éste, el artista penetra en zonas más profundas de la sensibilidad devota y, prescindiendo casi de todo cuanto caracteriza su barroquismo esplendoroso, pinta la escalera de un humilde convento franciscano en la que San Antonio de Padua, que sale al huerto con un cesto, recibe en sus brazos, inclinado con reverencia, a Jesús llegado en una nube y acompañado por un querubín. Añaden emoción y verdad al milagro pintado la puerta por la que se ve a un fraile y el muro encalado de la pieza contigua, de la que sólo se acierta a ver parte de una ventana redonda enrejada.

La sobriedad de elementos constructivos y decorativos empleados por un pintor que siempre los había derrochado, sobriedad observada también en el colorido, hace de este cuadro un ejemplar admirable de la renovación que en el estilo del veneciano había producido la estancia en la corte de Carlos III y el conocimiento de las escuelas españolas del siglo precedente.

Por otra parte, ya se ha señalado el influjo directo que pinturas como ésta ejercieron, sin duda, sobre Goya, para lograr ambiente y la veraz interpretación de la "naturaleza inanimada", que se limita en el *San Antonio* al cesto y las azucenas.

El cuadro, como otros seis, fue encargado por Carlos III, a principios del año 1767, para los altares de San Pascual de Aranjuez; estaban terminados el 28 de agosto de 1769. Fueron los últimos pintados por su autor, que murió en 27 de marzo siguiente, después de larga lucha para que se colocasen y antes de que se ordenase que la hermosa serie fuese retirada y reemplazada por la que se encomendó a Mengs y a sus discípulos Francisco Bayeu y Mariano Salvador Maella, episodio lamentable, puesto que los lienzos de Tiépolo hubieron de dispersarse y algunos romperse: el Museo posee tres y el del altar mayor en dos trozos que no lo completan; y en Palacio está la pareja del *San Antonio;* representa a *San Pedro de Alcántara,* cuadro también bello, pero en el que la cruz en diagonal del primer término, la paloma del Espíritu Santo y los dos querubines son de mayor efectismo barroco.

La sustitución violenta de las pinturas de Tiépolo, al triunfar las tendencias de Mengs, debió de ser posterior en pocos años a su muerte; Ponz se refiere a aquélla en 1787.

Viage de España, Francia e Italia, que hasta en el formato y en las condiciones tipográficas recuerda la empresa anterior de don Antonio Ponz: *Viage de España* (dieciocho tomos impresos desde 1776; más dos de *Viage fuera de España* de 1785). Llamábase el andaluz don Nicolás de la Cruz y Bahamonde, conde de Maule. El tomo X está consagrado a Madrid y, aunque gran parte de él lo ocupa una historia de España, todavía le restan páginas para escribir sobre los monumentos de la Corte y sobre sus colecciones artísticas; es texto desdeñado, inmerecidamente. Este volumen se imprimió en 1812, aprovechando notas y recuerdos anteriores a la guerra de la Independencia; en alguna página la fecha de 1806 fija, seguramente, la de su estancia madrileña.

No es ocioso el puntualizarlo, porque los párrafos sobre el edificio en construcción son los más importantes conocidos para tener idea de su desarrollo:

"Sobre todo, entre los edificios públicos es digno de la primera atención el magnífico Museo... La fachada principal contiene, en lo bajo, un peristilo de seis gruesas columnas dóricas y, en lo alto, una galería cubierta de veintiocho columnas jónicas, catorce por banda, las cuales se hallan contrapuestas de veintiocho pilastras en la parte interior. Los ángeles del edificio son salientes, con mucha gracia. Por la parte del Jardín Botánico tiene una linda portada, adornada de cuatro columnas estriadas corintias, que aún no están concluidas. En la opuesta, del lado de levante [*error,* por norte] tiene otra portada más pequeña, con dos columnas jónicas... Del medio del salón debe salir hacia el sur [*error,* por levante] otro magnífico trozo de edificio ovalado, que aún no está concluido... Bajo de los dichos cuerpos de edificios hay otros bellos salones, unos largos y otros circulares... y, además, un gran sótano o subterráneo. La parte superior del Museo ocupa una especie de boardilla... El arquitecto don Juan Villanueva, que lo ha dirigido, es regular que, luego que la concluya, presente al público los planos, haciendo una relación exacta de tan bella obra. Aunque parezca sombrío el sitio en que está, no lo será cuando se aterren [*esto es, se derriben*] las paredes que caen al Prado y se despeje su frente; entonces lucirá muy bien."

La información, preciosa, demuestra que sólo faltaban para la terminación del edificio, en sus tres fachadas más visibles, alguna de las columnas corintias de la de Mediodía. En la de Levante se construía un pórtico que nunca se acabó y el cuerpo axial ovalado —sala grande de Velázquez— no se elevó hasta mediado el siglo XIX.

Por otra parte, modifican las noticias del conde de Maule la creencia arraigada de que, cuando las tropas napoleónicas aprovecharon el edificio para necesidades militares, concretamente para alojar caballos, sólo estaba cerrada y abovedada la planta baja. Ahora podemos comprender que no eran mero desahogo poético de don Juan Nicasio Gallego aquellos versos de su oda leída a la Real Academia de Bellas Artes el 24 de septiembre de 1808 —ausentes las tropas francesas de la Corte—:

> ...Ya mi deseo
> me pinta el porvenir, y la ancha plaza
> descubro del magnífico Museo...
> y en los regios salones,
> que en usos viles profanados fueron,
> subir las artes miro
> a más claro esplendor, que nunca vieron
> Grecia ni Roma ni Sidón ni Tiro.

Conserve el lector el recuerdo de los tres versos últimos, para lo que luego se dirá.

Como además de la fachada principal, también la del Norte —entrada a la que hoy es planta segunda del Museo— era entonces accesible a los caballos, el poeta no exageraba.

Los "usos viles" en los años de la guerra, las vicisitudes de ésta y el descuido de tan azarosos tiempos deterioraron, gravemente, el edificio, ya cubierto con pizarra y plomo, que fueron arrancados, sufriendo bóvedas y muros. Contó esto el arquitecto López Aguado en el *Semanario pintoresco ilustrado,* que lo dicho por el conde de Maule hace verídico.

Del Museo, como obra arquitectónica de grandiosidad y hermosura extraordinarias, puede el lector curioso encontrar sugestivos análisis, tanto en el libro de F. Chueca Goitia y C. de Miguel: *La vida y las obras del arquitecto Juan de Villanueva* (Madrid, 1949), como en el estudio sustancioso del primero de estos autores: *El Museo del Prado. Guiones de Arquitectura* (Madrid, 1952).

Ingeniosamente, interpreta Chueca la planta del edificio como la adición de tres unidades monumentales que dan por suma su originalísima disposición: un vestíbulo, constituido por el pórtico y la rotonda jónicos, en el cuerpo del Norte, que, como se dijo, al edificarse resultaba al nivel del terreno; una a manera de basílica, con su pórtico dórico en la fachada de Occidente, que es la principal, cuyo ábside corresponde a la sala grande de Velázquez y que había de abarcar el ámbito entero hoy dividido en dos plantas, y palacio, con gran zaguán y patio interior, que es el cuerpo de Mediodía.

El lector, o el visitante, sólo con trabajo podrá darse hoy cuenta de tales elementos, debido a los cambios y los aditamentos que el edificio ha recibido en un siglo.

La interpretación artística de Chueca realza la inventiva y la maestría del arquitecto Villanueva, aunque no agote su contenido, pues, como adelante se consignará, no tiene explicación la rotonda baja; antes semisubterránea y sin posibilidad de iluminación natural. Decir que es una construcción basamental no resuelve el problema suscitado por la calidad de sus materiales, por su zócalo y por sus nichos u hornacinas, con utilización indudable.

De igual modo, fuera preciso conocer la memoria, o por lo menos el programa, donde conste el destino de cada una de las piezas del gran edificio para juzgar con acierto sobre locales como, por ejemplo, el semisótano de Poniente-Mediodía, hoy dedicado a las obras inglesas, flamencas y holandesas. Ni parece posible, dada la nobleza del ingreso y la dignidad de su fábrica, que se hiciese para trastera ni la carencia de luz natural suficiente permitiría utilizarlo para otros servicios. Tanto la que hoy llamamos "rotonda baja" y su galería, como la Sala de los retablos españoles, como ese semisótano, harían pensar en una hipótesis poco razonable: que Villanueva hubiese proyectado el empleo de iluminación artificial.

Por cuanto va dicho, puede asegurarse que, sin la guerra contra Napoleón, el edificio hubiera estado en condiciones de funcionar como

Museo de Historia Natural quizá dentro del mismo año de 1808. El no estar acabado, los "usos viles" y el descuido, seguido del robo del emplomado, acarreó un estado de la construcción que revela claramente lo que el conde de la Forest, embajador de Napoleón en Madrid, escribió el duque de Bassano el 20 de septiembre de 1811 —un mes después de la muerte del arquitecto—, dándole cuenta de una reunión del Consejo de Estado: *Une inadvertence a fait appeler la lecture d'un autre projet de décret:... Il y est question de l'achèvement du Musée du Prado. Un sourire général a empêché que la lecture ne fût achevée...* La falta de medios económicos impedía cualquier ilusión de los ocupantes de Madrid.

Con los inconvenientes que perturban toda construcción no terminada por el arquitecto que la trazó; con los cambios obligados en un edificio que se destina a servicio muy diferente de aquel para el cual se concibió y proyectó; con los aditamentos impuestos por el desarrollo de la institución en él alojada desde hace ciento cuarenta y dos años, el Museo del Prado no sólo es uno de los más hermosos edificios madrileños y, tal vez, el monumento principal del neoclasicismo español, sino que su adaptación para museo de pinturas, sobre todo desde el empleo de la iluminación artificial, sólo ha presentado ventajas. Las proporciones; las condiciones del edificio para los cambios bruscos de temperatura; la relativa humedad, conveniente para la conservación de las tablas; la carencia de un decorado antiguo que hubiese habido que respetar; su situación, que ha consentido ampliaciones que no desfiguren su fachada al paseo del Prado; todo colabora a que la construcción de Villanueva sirva de modo eficiente al fin actual. En mi opinión, guarda todavía posibilidades de mejora y habitación, en su parte primitiva.

Las adiciones llevadas a término en la segunda mitad del siglo XIX y en el actual se comentarán a su tiempo.

EL MUSEO REAL

Ideas, deseos y planes que en el transcurso de dos siglos y medio no habían podido realizarse, restaurado Fernando VII en el trono, y pese a dificultades de todo orden, con esa fuerza recuperatoria que España muestra en todas sus crisis, apenas tarda un lustro en constituirse lo que pronto había de ser un gran museo.

Fue, como se apuntó, decisivo para ello el magnífico edificio del Prado.

Se ha visto cómo la intervención del Consejo de Castilla desbarató el proyecto del Museo Fernandino, que la Academia había de organizar con los fondos pictóricos propios, los de los conventos suprimidos, etc., en el Palacio de Buenavista. Dentro del mismo expediente está el parecer de sus tres fiscales, fechado el 29 de noviembre del mismo año de 1814: "Sería mucho mejor —dice—, tratándose de un Museo, aprovechar para este efecto el famoso edificio que a *este fin* y a costa de muchos millones, se construyó por la magnificencia de los augustos abuelo y padre de V. M. en el paseo del Prado, que no dejarlo destruir del todo para buscar otro más a la mano, o más cómodo".

Se han subrayado las tres palabras confirmatorias de cómo en la conciencia de las gentes no había seguridad en cuanto a la adscripción exclusiva a Historia Natural del edificio de Villanueva. Se verá pronto que en el ánimo regio se compartía con las Artes.

El 26 de diciembre del mencionado año, Fernando VII dicta la Real Orden que comienza: "Me conformo con el parecer del Consejo...". Dábase con la sencilla fórmula el paso previo para la creación definitiva.

Tomó a su cargo las obras, bastante después de la muerte de Villanueva y aun de la restauración fernandina, el arquitecto Antonio López Aguado; pero del desenvolvimiento de los trabajos escasean los datos. Intentemos precisar algo en estas brumas.

El 29 de septiembre de 1816 casa Fernando VII en segundas nupcias con su sobrina la portuguesa doña María Isabel de Braganza. De antiguo se ha venido señalando como fundadora del Museo del Prado a esta reina: incluso se la retrató once años después de su muerte en un cuadro representativo de su intervención, señalando al edificio y, lo que es más, teniendo en un velador, no sólo los planos del museo, sino las plantillas para la colocación de los cuadros. El docto historiador del Prado don Pedro Beroqui se esforzó por reducir a términos razonables esta intervención.

El lector está ya persuadido de la larga gestación y, por otra parte, el malogro de la reina, en 26 de diciembre de 1818, no consiente atribuirle más que un apoyo para el proyecto cerca del rey y lo que se declara en un artículo oficioso publicado en la *Gaceta* el 3 de marzo de 1818 con el cual, en realidad, quedan claras muchas cosas que, al extractarlo, subrayo:

"El estado a que ha venido, a consecuencia de una guerra destructora... el magnífico edificio del Museo de Ciencias..., ha herido continuamente la vista del rey... y excitado en su real ánimo la gloriosa idea de perfeccionar una obra que... sería uno de los mejores ornamentos de Madrid. Bien convencido... S. M.... de que *las Ciencias y las Artes recibirían un nuevo ser reunidas en este hermoso monumento de la arquitectura*..., y no pudiendo llevarse a efecto esta idea de los fondos públicos..., llegaría, por fin, a arruinarse si su mano... no le sostiene particularmente...; *se ha decidido S. M. a tomar bajo su peculiar cuidado la conclusión de tan importante establecimiento y, añadiendo al placer de hacerlo, el que la reina... se haya ofrecido generosamente a coadyuvar en él...* disponiendo que se concluya, con preferencia, la parte destinada a galería de las Nobles Artes, con la mira... de colocar en ella para su conservación, para estudio de los profesores y recreo del público, muchas de las preciosas pinturas que adornan sus Palacios Reales."

Nadie, a la vista de cuanto va dicho, puede regatear a Fernando VII la gloria personal en la fundación del museo —único resplandor de su figura histórica—.

En fecha ignorada, pero anterior al 24 de febrero de 1818, debió de conferirse al marqués de Santa Cruz, consiliario de la Real Academia de Bellas Artes, la misión de haber sido "encargado por S. M. de la formación de la Galería de Pinturas del Museo del Prado con los cuadros propios de S. M.", porque actúa como tal en documento de ese día. Colaboraba con el marqués, como era debido, el primer pintor de cámara don Vicente López.

El 4 de febrero de 1819 estuvo el rey en el Museo, inspeccionando la restauración de los cuadros que se colocarían en la galería. Con premura se llevaban, meses después, los trabajos, por cuanto se logra dispensa para no holgar los domingos. Se aspiraba a inaugurarlo con ocasión de las terceras bodas del rey. Casó con doña María Josefa Amalia de Sajonia el 20 de octubre. El 12 de noviembre se recibían en el establecimiento dos mil ejemplares del *Catálogo,* formado por el modesto pintor y conserje de él don Luis Eusebi.

El día 19 se abrió al público. Nadie supo entonces lo penoso del camino andado hasta alcanzar esta meta. Nadie, tampoco, ensoñaría su futura, asombrosa, riqueza.

Trescientas once pinturas constituían la naciente galería, instaladas en las salas de la planta principal contiguas a la rotonda. En las de la derecha —hoy de escuelas del Norte, siglos XV y XVI— y en las de la izquierda —hoy de pinturas italianas y en la de enfrente de Primitivos españoles— se exhibían cuadros españoles que abarcaban desde Juan de Juanes y Sánchez Coello hasta los recién muertos, como Paret y Francisco Bayeu, e incluso hasta los que vivían, como Goya, Aparicio, don José Madrazo...

Son numerosas las obras puestas a nombre de Velázquez y de Murillo —cada uno tiene cuarenta y tres—, si bien respecto del primero varias sean de su escuela. Igual cifra alcanzan los *Bodegones* de Luis Meléndez, por coincidencia chocante; Ribera, veintiocho; quince se atribuían a Juan de Juanes. De Goya estaban los retratos ecuestres de los reyes *Carlos IV* y *María Luisa.*

El marqués de Santa Cruz, que había trabajado afanosamente para conseguir la apertura del Museo, marcha en 21 de marzo de 1820 como embajador a París y, ya nombrado, todavía se interesa por la restauración de los cuadros que se van a traer de Aranjuez y de La Granja para instalar otro salón. Sucédele en la dirección del Prado su cuñado, el príncipe de Anglona.

La gestión de este segundo director fue, asimismo, brillante. El *Catálogo* de 1821 registra hasta el número 512; la escuela italiana suma 194 cuadros.

¿Y las Ciencias Naturales a las que, en un principio, se les ofrecía el compartir con las Bellas Artes el edificio? Probablemente no se

Retrato de Felipe IV (Cat. 1185 - Lienzo. 69 × 56). Pintado por Velázquez entre los años 1655 y 1660.

El artista fue para el Rey más un amigo que un servidor. Entre los numerosos retratos de Felipe IV que le hizo Velázquez, desde 1623 hasta su muerte, éste es, seguramente, el penúltimo; seguiríale el de la National Gallery de Londres, en el que el Rey ostenta el Toisón de oro. En ambos la expresión de quien fue aficionado y conocedor de Letras y Artes está teñida de hastío y melancolía.

Lleva Velázquez en esta obra al más alto grado su empeño de simplificar el retrato, eliminando cuanto no sea el personaje retratado; incluso falta aquí el Toisón de oro diminuto que cuelga del cuello del Rey, mediante un cordón, en el cuadro análogo citado antes, algo posterior, que también se "anima" —es un decir— por la fila de botoncillos forrados en la misma seda del traje.

En su segundo viaje a Madrid (1623), los amigos de Pacheco, suegro de Velázquez, consiguen que el maestro haga un retrato del monarca, quien, vivamente impresionado, le designa en seguida como su pintor favorito. Éste es el punto de arranque de la serie de retratos velazqueños del monarca, de la real familia y de los personajes cortesanos.

Es muy posible que ese primer retrato sea el pintado hacia 1623, de 202 × 102 cm, en el que el Rey aparece de pie, de cuerpo entero, vestido de negro y sin más adorno que la cinta del Toisón y una gran cadena de oro. Un guante pende de la mano derecha mientras la izquierda se apoya en el pomo de la espada. Fondo liso y mesa cubierta de terciopelo, sobre la que está colocado el sombrero. Este retrato, actualmente en el *Metropolitan Museum of Art*, de Nueva York, es muy similar al del Prado, de idénticas medidas, catalogado con el número 1182 (v. pág. 293).

Posteriormente pinta (1628) al Rey con golilla, armadura y banda de general, lienzo que figura en el Prado con el número 1183, y que por estar cortado se supone que fue retrato ecuestre. Cronológicamente, le siguen el *Felipe IV en traje de caza*, de nuestro museo, y el *Felipe IV* de la National Gallery de Londres, pintado por Velázquez a su vuelta de Italia, en el que el Rey viste rico traje de corte, por lo que es llamado el *Felipe plateado* (1633-1636).

El *Felipe IV ecuestre*, pintado hacia 1636, del Museo del Prado, muestra al monarca, de media armadura, con los atributos de general.

El llamado *Felipe IV de Fraga*, por haber sido pintado en esta ciudad (1644), vistiendo el real modelo, traje de campaña bermellón y plata, se encuentra en la colección Frick, de Nueva York.

El lienzo aquí reproducido es verdaderamente portentoso. Maestría pictórica y penetración psicológica se unen en esta obra, que sólo el genio de Velázquez pudo realizar.

156

prescindió, de modo radical, de su instalación. Dos indicios hay para sostenerlo: uno, negativo, que ningún documento ni ningún texto se refiera a instalación de pinturas en la planta baja; y otro, positivo, aunque mínimo: hasta hace pocos años se conservó en los almacenes del Prado una enorme caja ovalada de madera, cuya tapa era un cristal, enmarcado con talla dorada, que contenía una "preparación de aves disecadas" en unas ramas arbóreas, como las habituales en los museos de Historia Natural; las aves estaban tan apolilladas que cuando se movió la vitrina se deshicieron.

Pronto penetró en el Prado el concepto del museo a la moderna en ciertos aspectos. Cuando el ejército francés, mandado por el duque de Angoulême, vino a España para restablecer el absolutismo de Fernando VII, expedición que se llamó de "los cien mil hijos de San Luis", para facilitarles la visita al museo se publicó en francés el *Catálogo* (1823). En él figura por primera vez *El torero a caballo*, de Goya.

La dirección del príncipe de Anglona fue muy breve; ante el cambio político, marchó a Italia y el 20 de diciembre del año citado le sucede el marqués consorte de Ariza, designándose para la parte artística al pintor de cámara don Vicente López, el honrado retratista.

Pasado algún tiempo se acomete una reinstalación del Museo, para lo cual se cierra al público el 31 de marzo de 1826; surge entonces una discrepancia entre Ariza y el pintor. Proyectaba éste mudanzas en la distribución de los cuadros y el marqués se dirige al rey pidiendo que, para sustituirle en sus ausencias, coloque al frente del establecimiento a una persona de su clase y añade que "la alteración que pretende el pintor de cámara dimana de su particular deseo... no la considera a propósito, conforme a los conocimientos que reúne de la institución y fundación del mismo, porque la forma con que actualmente están dispuestas causa la admiración de los profesores e inteligentes y de los más distinguidos extranjeros". Fernando VII desde Sevilla designa para las ausencias de Ariza al duque de Híjar, pero, a la vez, manda que "se suspenda la variedad proyectada por don Vicente López", hasta que Híjar la ordene (3 de mayo de 1826). Once días pasados, el pintor, sumiso a las órdenes regias, dice que "no hay necesidad de suspender variación ni proyecto que no se ha empezado a ejecutar".

Ariza no volvió al cargo, e Híjar fue el último de los directores del Prado grandes de España. Desempeñó con acierto su cometido durante doce años. Hizo traer más cuadros y estatuas de los Sitios Reales y redactó un plan lógico, distinto del propuesto por López: la escuela española ocuparía las salas a uno y otro lado de la rotonda, y los artistas vivientes, el vestíbulo de la galería; ésta dedicaríase toda ella a la pintura italiana. En su rotonda terminal —hoy de Goya— se instalarían la francesa y la alemana y cuando se acabasen las salas que la flanquean, tendrían colocación las flamencas.

El lector se dará cuenta de que la planta principal del Museo anterior a 1819 sólo tenía, además de lo enumerado, la sala de descanso, para las visitas regias —hoy de Tiépolo—; y que el cuerpo perpendicular a la galería, en su centro —hoy Sala de Velázquez— en 1826 estaba sin empezar. Por eso la distribución diseñada por el duque de Híjar era irreprochable.

En el mismo año se pidieron a la Academia los cuadros que allí estaban desde 1816 y también los de desnudo, guardados desde mucho antes en la famosa sala reservada. Todo se obtuvo por la orden del rey que, en decreto autógrafo, disponía que se previniese a Híjar; "que no quiero de ningún modo que se pongan en el Museo a la vista del público los cuadros indecentes que hay en dichas piezas reservadas". ¿Cómo juzgaría Felipe II a su "pudibundo" descendiente?... Entraron los cuadros con desnudos en el Prado el 5 de abril de 1827 y no pudieron exhibirse hasta la muerte de Fernando VII.

La reapertura del Museo, remozado con la organización dada por Híjar, se celebró el día del santo de la reina, 19 de marzo de 1828. También se estrenó *Catálogo,* más nutrido que los anteriores, porque los cuadros llegaban ya a 757 y porque Eusebi se extendía más en la catalogación y en la crítica, y recogía noticias biográficas de los pintores que vivían. Se editó en español, francés e italiano.

Si se quiere una muestra de los juicios de Eusebi, cuando no se limitan a encomios vagos, léase este de la *Inmaculada Concepción,* de Tiépolo: "Colorido agradable, el estilo se parece un poco en el ropaje al de Alberto Durero" (¡!). Al comentar *La fragua de Vulcano* escribe: "...en Vulcano... parece que se le ve circular bajo del cutis con la sangre lívida y negra, el veneno de los celos"...

El duque de Híjar se preocupó también de mejorar el exterior del Museo con adornos de escultura y, en su interior, acreció los fondos de ésta con estatuas traídas de los Palacios, entre ellas las de bronce de Leoni. La etapa de su dirección fue trascendental.

Andaba por la mitad de su duración cuando el 29 de septiembre de 1833 moría Fernando VII, el fundador y sustentador del Prado.

Originó su falta uno de los episodios más curiosos de la historia del museo:

Felipe IV, en su testamento, otorgado el 14 de septiembre de 1665, vinculó "para que anden unidas e incorporadas a la corona... todas las pinturas, bufetes y vasos de pórfido". Carlos II extendió esta vinculación y fue seguido en esto por Felipe V, a pesar de pertenecer a otra dinastía. Pero Carlos III entendió que sólo las joyas debían quedar vinculadas, y libres, en cambio, los demás bienes muebles. Por fortuna, no se obedeció tal dislate en su herencia ni en la de Carlos IV, mas se cumplió en la de Fernando VII. Como dejaba dos hijas, se inventariaron y tasaron cuadros, estatuas, bronces, etc. La tasación subió a 38.873.279 reales. En esta suma se incluían las pinturas, esculturas y mesas del Museo del Prado, considerados como bienes muebles particionales (¡!).

Aplazada la ejecución de las partidas hasta la mayoría de edad de la reina doña Isabel II, una comisión jurídica dictaminó, con buen criterio, que no debieran "haberse inventariado monumentos de nuestras glorias y antigua grandeza, que desde tiempos muy remotos... venían poseyendo los reyes, respecto de los cuales repugnaba toda idea de división". Sin embargo, un año después, en 1845, a 17 de mayo, la misma comisión aconsejaba a la reina que, para mantener indivisible aquel tesoro secular, indemnizase a su hermana en metálico por las tres cuartas partes del valor. Escalofría el pensar si no se hubiese aceptado la fórmula qué suerte hubiera corrido la parte que se hubiese adjudicado a la hermana de la reina. Pero también es justo subrayar que, con tan patriótica, a la vez que inicua solución, Isabel II y sus descendientes fueron considerablemente perjudicados.

El período de los directores de Museo grandes de España, en el aspecto representativo y administrativo, duró veinte años.

En los dos libros publicados sobre el Prado en su primer período, a saber: P. Beroqui: *El Museo del Prado (Notas para su historia) I. El Museo Real* (1819-1833) (Madrid, 1933), único volumen salido, y M. de Madrazo: *Historia del Museo del Prado 1818-1868* (Madrid, 1945), que es útil por la aportación de documentos de familia, se advierten opuestas tendencias al enjuiciar el papel desempeñado en la marcha del establecimiento por los pintores y por los directores que no eran artistas profesionales. Dígase que sin la inicial actividad del marqués de Santa Cruz y la constancia y buen gobierno del duque de Híjar, como también sin la práctica y buen sentido de don Vicente López y la laboriosidad estudiosa de don Luis Eusebi, conserje, pintor y catalogador, las dos primeras décadas del Prado no habrían dado tan firme base para cuanto con el tiempo pudo realizarse.

En el período de la minoridad de Isabel II, bajo la regencia de su madre la reina gobernadora doña María Cristina de Borbón, emprendió el camino de que el Museo fuese desprendiéndose económicamente de la total dependencia palatina. El 20 de julio de 1836 se constituye una junta directiva del Real Museo en la que entraban, junto con el Sumiller —que era el mismo duque de Híjar—, tres funcionarios palatinos, los pintores de cámara 1.º y 2.º y el escultor 1.º. Eran los pintores Vicente López y José de Madrazo, y Francisco Elías el escultor.

Se ocupó esta junta de la instalación de la segunda sala de Escultura y consta que Madrazo, en 1837, trabajaba en el Catálogo de esta sección, extraña, sin duda, a su competencia. Era pintor, nacido en 1781, y que había servido en Roma a Carlos IV; Fernando VII le nombró su pintor en 10 de noviembre de 1816. Al lado de don Vicente actúa en la instalación del Prado. Funda con don Ramón Castilla el Real Establecimiento litográfico y el rey, por Orden de 21 de marzo de 1825, le concede el privilegio duradero diez años para reproducir los cuadros de los Reales Palacios y del Real Museo, y en 1826 saca a la luz el primer tomo de la espléndida *Colección litho-gráphica de cuadros del Rey de España,* en cuyos preliminares figura una descripción del edificio del Prado (donde también se instaló el establecimiento litográfico) escrita por el arquitecto López Aguado. La colección se suspendió por la guerra civil en 2 de marzo de 1837, cuando iba en el cuaderno número 50. Tenía don José de Madrazo méritos y servicios sobrados para que se le beneficiase en la reforma de la estructura del Museo.

Un Real Decreto, de 12 de agosto de 1838, dispone el cese de la junta directiva del Real Museo; que el establecimiento quede a cargo de la Intendencia de Palacio y que del régimen y gobierno interior cuide la persona que, con el título de director, se nombre. El 21 se designa a don José de Madrazo.

Las novedades más importantes de su primer año de dirección fueron el cambio de días y horas de visita pública —domingos y días festivos, en vez de miércoles y sábados; de ocho a dos, de mayo a octubre, y de diez a tres en los demás meses—; la visita regia de 6 de septiembre que duró cuatro horas, que se contaron desde las seis y media de la mañana; el proyecto de habilitar nuevas salas; la obtención de la Real Orden de 29 de diciembre para que se entreguen al Prado las alhajas del "Tesoro del Delfín", devueltas de Francia al Gabinete de Historia Natural donde figuraban como ejemplos de minerales (¡!), y en 29 de enero de 1839 la petición de la venida al Museo de 48 cuadros de El Escorial, motivada por los temores de extensión de la guerra civil.

La actividad de Madrazo contrasta con las preocupaciones reveladas en una carta extractada en el libro de su bisnieto, que antes se cita; escribíala en los días que precedieron a su nombramiento: "Por todo Madrid se ha corrido la voz de que dicho destino recaerá en mí y te aseguro que lo sentiría yo mucho, justamente ahora, en que me hallo entusiasmado, como cuando era muchacho, no cambiándome por el primer potentado del mundo mientras tengo los pinceles en la mano". Y, con buen sentido, dice que si el cargo fuese solamente de índole artística le sería grato, pero no lo es con las obligaciones y responsabilidades inherentes.

Las condiciones de Madrazo le proporcionaron un período largo en la dirección y con su gestión le merecieron el busto de mármol que le recuerda en el Museo. En su exterior se colocó el gran relieve de la fachada principal (1842). En su interior se habilitaron nuevas salas —seis se abrieron el 27 de abril de 1839—. En el desarrollo del Centro se redactó un nuevo *Catálogo*. Muerto Luis Eusebi (16 de agosto de 1828), contó Madrazo con don José Musso y Valiente, escritor que había colaborado en los textos de la *Calección Lithográphica,* pero habiendo desaparecido también cuando sólo había formado el de las salas flamenca y holandesa, éste hubo de confiar el trabajo a su hijo don Pedro, literato y amigo de frecuentar archivos.

El 21 de octubre de 1843 debía de estar terminada la redacción, que es ya un libro de XIV + 433 + I páginas, comprendiendo 1949 pinturas, de ellas 101 procedentes de El Escorial. Este *Catálogo,* con aumentos y modificaciones, no se reeditó hasta 1910, como luego habrá de verse.

En 1845 se comenzó a construir el cuerpo que, en el centro del Museo, se dirige hacia Levante: parte la más solemne de la construcción en los planos de Villanueva; aquélla que, para Chueca, es como la basílica con su ábside. Un dibujo de José Avrial muestra la obra todavía bastante lejana de la terminación, que calculaba Beroqui se concluiría con el proyecto aprobado en 14 de diciembre de 1847. En efecto, el 19 de enero de 1853 se cierr ael Museo hasta el 13 de mayo en que se admira la obra efectuada. El ámbito del cuerpo nuevo del edificio queda abierto, puesto que en la planta principal tan sólo se formó una balconada; en torno se colocaron las pinturas selectas, a la manera de la célebre tribuna del Museo florentino de los Uffizi y, desde ella, se dominaba la galería inferior, dedicada a la escultura. Se llamó "Sala de la reina Isabel II". El 18 de abril ya la habían visitado los reyes. Supuso esta apertura el final de las obras constructoras del Museo; con esta sala el plan de Villanueva quedaba concluso.

Sin novedades que necesiten ser recogidas en estas notas se llega al año de 1857. Las circunstancias económicas en Palacio eran malas, por el peso de una deuda enorme sobre el Real Patrimonio. Opinaba el intendente que no debe exceptuarse el Museo de las economías. Los tiros administrativos se lanzan contra la restauración, verdadero taller de pintura, cuando no debe ser otra cosa que "una inspección facultativa para la conservación y la muy detenida, parca y concienzuda restauración de aquellos cuadros que, a juicio del Director y previo conocimiento y resolución de Su Majestad, deban sufrir esta operación tan justamente temida". En verdad, don José de Madrazo no sólo había sustituido en el Museo la perniciosa restauración al óleo por la de al barniz, sino que escribía, años atrás, que los cuadros habían de limpiarse "nada más que lo necesario para no quitarles ninguna de sus veladuras, ni aun siquiera la pátina veneranda que les ha dado el tiempo". En esto venía a seguir la admirable máxima de Goya: "El tiempo también pinta".

Era lógico que las economías decretadas por el intendente, marqués de Santa Isabel, que suprimían personal del Museo y que otras disposiciones, por las que la Intendencia se inmiscuía en cuestiones de régimen interior del Museo, provocasen la protesta de Madrazo y una larga discusión por escrito; todo acabó en que el 30 de marzo de 1857 presentó el director su renuncia, que fue aceptada, jubilándosele como pintor de cámara.

El 26 de mayo se nombró director a don Juan Antonio Ribera, pintor de cámara recientemente jubilado, con la protesta enérgica de don Federico de Madrazo, segundo pintor de cámara desde 1850, y que se creía con mejor derecho a la dirección; en el memorial renunciaba al título, renuncia que no fue admitida, siendo elevado a primero de cámara el 15 de junio.

Ribera sirve el cargo hasta su muerte en 15 de junio de 1860; pasó por la dirección del Prado sin pena ni gloria; preocupándose, celosamente, de la seguridad del edificio y de la restauración de los cuadros.

El 19 de julio es nombrado director el que era primer pintor de cámara, don Federico de Madrazo. Artista notabilísimo, en especial en el género de retratos, buen conocedor en el Arte y con noticia abundante de su historia, suministró datos y consejos preciosos a su hermano don Pedro para el *Catálogo*. Se caracterizó su primer período de director —pues su vida le permitió otro más dilatado— por una buena administración y un buen orden en todo. Se trae al Prado el techo del Casino de la Reina, que había pintado Vicente López y se coloca (1866) en la sala de descanso para las visitas regias —hoy de Tiépolo—; se recibe el gran jarrón de Sèvres regalo de Napoleón III y de la emperatriz Eugenia a la reina Isabel (1865) —hoy en la sala del "Tesoro del Delfín"—; se ordena que se incorporen al Museo los cartones para tapices de Goya y "las 14 tablas de la Vida

Los cómicos ambulantes (Cat. 3045. Hojalata. 0,43 × 0,34). Francisco de Goya (1746-1828).

Con ser el Museo poseedor del conjunto más cuantioso de obras de Goya, carecía de la modalidad revelada por este cuadro, adquirido por el Estado en 1962. Las dos hojalatas, *La degollación* y *La hoguera*, de tamaño análogo, números 740[1] y 740[a], son versiones de tablas y parecen de fecha bastante posterior a la que aquí se comenta: obras ya seguramente de la época de la Guerra de la Independencia, por lo menos.

Píntase un teatro al aire libre, en pleno campo, al parecer; sobre una plataforma alfombrada, ante una tienda improvisada, medio sostenida por un árbol, y con público al pie, hace Arlequín juegos malabares con tres copas, mientras el enano se dispone a imitarle con una botella y un florero; detrás, Colombina entre Polichinela y Pantalón. Delante, sostenida por dos perros (?), una cartela en la que se lee: ALEG. MEN (¿Alegoría menendrea?), con un segundo renglón del cual sólo se distingue una H (?).

No puede caber duda que se pinta la actuación de la forma teatral en Italia llamada "La Commedia dell'Arte", que en España en tiempos de Goya era, asimismo, vulgar; puesto que Jovellanos, en su *Memoria sobre los espectáculos y diversiones públicas*, leída en la junta pública de la Real Academia Española el 11 de julio de 1796, escribía: "Acaso deberían desaparecer... los títeres y matachines, los payasos, arlequines... y otras invenciones que, aunque inocentes en sí, están depravadas y corrompidas por sus torpes accidentes"; y aduce, luego, el "púlpito, en medio de una plaza [donde] predica Don Cristóbal de Polichinela su lúbrica doctrina a un pueblo entero que, con la boca abierta, oye sus indecentes groserías". Dado que el severo moralista era amigo de Goya, cabe inferir del curioso texto que el cuadro habrá de ser anterior; la factura no lo contradice. Si este aserto fuese equivocado cabría explicar el letrero italiano como disculpa, pretextanto que el asunto pintado no era español.

La fecha de esta pintura interesaría fijarla, ya que lleva a pensar si será uno de aquellos once "cuadros de gabinete" sobre "diversiones públicas" —de acuerdo con la denominación de Jovellanos— que, por mano de D. Bernardo de Iriarte, presentó Goya a la Academia en los primeros días del año 1794, cuando comenzaba a restablecerse de su grave dolencia. La identificación de parte de ellos con los cinco admirables que heredó la Academia de García de la Prada, nunca fue convincente, pues, aparte razones de técnica, chocaba por juzgar arriesgada osadía aplicar un tal destino a una *Procesión* y a la vista de un *Proceso inquisitorial*. Deberá considerarse, al caso, que en el inventario, desgraciadamente incompleto, de la "Casa de Campo" o "Quinta del Sordo" hecho en 1828, se registran: *Un baile de máscaras*, de una vara —quizá sea *El entierro de la sardina*—, otro *Baile* y *Dos corridas de toros*, posiblemente muy posteriores a las pinturas enviadas a la Academia hacía tantos años.

de Nuestro Señor de la escuela de Van Eyck" —que son las que restan en Palacio del retablo de la Reina Católica, pintadas por Juan de Flandes y por maestre Michel Sithium—, disposición que no se cumplió nunca; asimismo, se mandó, y no se cumplió, la traída de los dos Goyas de la Casita de Abajo o del Príncipe, de El Escorial. Medidas todas en las que se observa el interés vigilante de Madrazo por el acrecentamiento de las colecciones del Prado.

Muestra de cómo el Museo arraigaba en los gustos madrileños es el problema que se plantea en 1867 con el exceso de visitantes, tantos "que se interrumpe la circulación" los domingos, lo que obliga a solicitar dos parejas de la Guardia Civil veterana; anécdota muy expresiva del éxito logrado.

Con la revolución, iniciada el 29 de septiembre de 1868, llegan tiempos de cambios esenciales para el Museo. Unas notas de Madrazo en el libro de su nieto nos acercan a su ánimo conturbado por los sucesos; una de ellas es particularmente conmovedora: "Los artistas que debían reunirse para [re]presentar a la Junta en favor de la continuación del servicio del Museo, a fin de que no sufra alteraciones, y que no se cierre para los artistas y para el público, no hacen nada... Miserias".

El 19 de noviembre de 1868 cesaba don Federico de Madrazo en su cargo de director. El Museo cambiaba de situación jurídica y hasta de nombre.

EL MUSEO NACIONAL DE PINTURA Y ESCULTURA

Si para los juristas que intervinieron en la comisión que entendió en la testamentaría de Fernando VII el Museo del Prado pertenecía al caudal repartible del rey, aunque recomendasen que Isabel II compensase a su hermana para no llegar a la partición de aquel tesoro artístico, para los legisladores de 1865, en la Ley de 12 de mayo, al enumerar los bienes del Patrimonio de la Corona, tras el Palacio Real y la Armería, colocaron el Real Museo de Pinturas y Esculturas; sin indemnizar a la supuesta heredera.

Como era lógico, triunfante la revolución se dio otro paso y la Ley de 9-18 de diciembre de 1869 declaró extinguido el Real Patrimonio, con reversión al Estado de los bienes que lo constituían, salvo "los que se destinan al uso y servicio del Rey" —ha de recordarse que España seguía siendo Reino, aunque sin monarca—. Pero, al mencionar estos últimos bienes, se ha eliminado, entre otros, el Real Museo. Sin consignarlo, explícitamente se le nacionalizaba.

El primer director fue don Antonio Gisbert, y subdirector —con nacimiento de la denominación— el escultor don José Gragera, según era natural, ambos de la confianza de los nuevos gobernantes. Aquél, en 1872, estableció su estudio en la Sala de descanso de los Reyes.

El traspaso del Museo del Real Palacio al Estado en el Ministerio de Fomento, en la realidad tardó algún tiempo en verificarse, por lo que el papel oficial prosiguió con el marbete "Real Museo". El Ministerio reclamó al de Hacienda su entrega, en 22 de febrero de 1870, y por Decreto de S. A. el regente del Reino se accede a ella, con las condiciones que señala la orden comunicada, fecha 16 de marzo. La cesión llevaba aneja que el Ministerio había de cargar con los gastos y ocurrió lo acostumbrado, que por varios meses hubo de ser la dirección del "Patrimonio que fue de la Corona" el organismo que pagase los gastos del Museo.

Son años en que las preocupaciones de todo género impedían el desarrollo de iniciativas artísticas. Hubo una, no obstante, que se convirtió en realidad: la fusión con el Prado del Museo Nacional de Pintura y Escultura, vulgarmente llamado "de la Trinidad", por el convento en donde estaba instalado. Se comprenderá que la igualdad de nombres, desde que el del Prado dejó de ser Real Museo, ha traído confusiones graves a nacionales y extranjeros, persistentes en algunos libros todavía.

Se había formado el Museo de la Trinidad en 13 de enero de 1836, para guardar los cuadros procedentes de los conventos suprimidos en las provincias de Madrid, Toledo, Ávila y Segovia y por Real Orden de 31 de diciembre de 1837 se les destinó el edificio en la calle de Atocha que había sido de los trinitarios calzados.

El 24 de julio de 1838 se establecía este Museo con la calificación de Nacional, clara entonces, para distinguirlo del Real. Otra característica se le añadió: la de formar una sección de arte contemporáneo con los cuadros premiados y adquiridos en las exposiciones. Sin embargo, el Museo no era tal. Al finalizar quien había sido su subdirector don Gregorio Cruzada Villaamil, en 1865, su útil *Catálogo provisional,* veíase en el caso de prevenir: "Distribuidos hoy los cuadros en los salones y despachos del Ministerio de Fomento [instalado también en el edificio conventual, enorme y destartalado] no es posible colgarlos y exponerlos al público con algún orden". Se confiaba para lo porvenir en el palacio que destinado a Biblioteca y Museos Nacionales se construía en Recoletos.

Al ocupar el Ministerio de Fomento hombre de la cultura y de la inteligencia de don José Echegaray, que treinta y cinco años más tarde obtendría el Premio Nobel de Literatura, procuró remediar tal estado de cosas y por Decreto del Gobierno provisional de 25 de noviembre de 1870 designó una comisión para que entendiese en la reunión y fusión de los dos museos. Previénese en el preámbulo, con frases que hacen sonreír: "deben... vivir unidas y expuestas a la

44

admiración de propios y extraños las celebradas tablas de Van Eyck y de Rincón y los lienzos pintados por Rivera, Morales y Murillo". No hay que decir que nada tenemos ni teníamos del primero, que el segundo, si el futuro dramaturgo pensaba en Antonio, no existió; que Morales no pintó sobre lienzo y que Rivera se escribe con *b*... Como todo régimen nuevo, el Gobierno provisional no se paraba en barras al teorizar y para el museo colosal ensoñado contaba, además, con las obras propiedad del Estado esparcidas por el Museo Arqueológico, los museos provinciales, las iglesias, las corporaciones y hasta la Academia de San Fernando. ¿Y el local para esta multitud de pinturas y esculturas? se preguntará el lector. "Es verdad —decía Echegaray— que todavía el edificio del Prado no tiene capacidad suficiente para contener todas las obras que posee, pero las Cortes Constituyentes concedieron al Gobierno en el presupuesto de este año un crédito permanente de 200.000 pesetas, destinado a ensanchar aquel Palacio; y aunque esto no es todo lo necesario para alojar bien y con espacio las obras de ambos Museos, podrán, sin embargo, colocarse dignamente las mejores de los dos". El optimismo oficial no se agotaba aquí, sino que también vaticinada que se conseguiría, en breve, un museo contemporáneo...

La incorporación material al Museo del Prado de los fondos del de la Trinidad no se efectuó hasta el Decreto de 22 de marzo de 1872 y aportó, como habrá de verse, cantidad de pinturas notables; el convento, sin embargo, continuó almacenando oficinas y despachos y obras de arte durante años.

La proclamación de la primera República, 11 de febrero de 1873, no acarreó mudanzas graves en la dirección ni en la marcha del Prado. Don Mariano de Madrazo refiere que por el ministro de Fomento don Joaquín Gil Besgés fue propuesto para director don Federico de Madrazo, quien contestó que "no creía de su deber aceptar". El mismo ministro, bajo la presidencia de Castelar (y el cuño del espíritu del gran orador dejó impronta en la disposición) refrenda el Decreto de 14 de noviembre de 1873, por el cual se hacen dos notables innovaciones, que lo fugaz de aquel régimen —al que sólo quedaban siete semanas de vida—, hizo irrealizables: la de que el Museo publicase, anualmente, una memoria de sus adquisiciones y cambios y "en que se inserten monografías de los cuadros y estatuas más notables que posee" escritas, precisamente, por artistas y críticos de reconocida reputación; y que, "de acuerdo con la Academia de Bellas Artes, organizase una serie de conferencias públicas que versarían sobre los puntos de Estética, Crítica e Historia de las Bellas Artes". Tan nobles inspiraciones nacían mucho antes del tiempo propicio para que se lograsen.

Al caer la República dejó el cargo de director don Antonio Gisbert en condiciones de apremio, al parecer. Le sucedió don Francisco Sanz y Cabot, pintor olvidado.

En época tan movida hay un signo de la estable situación del Museo y es el de los *Catálogos.* Al ocurrir la revolución de 1868 estaba en la imprenta el primer tomo —único publicado— del *descriptivo e histórico* (1872), escrito como los anteriores, desde el de 1843, por don Pedro Madrazo. La página 252 lleva como cabeza REAL MUSEO; la de 254 dice ya MUSEO DEL PRADO.

El mismo autor firma el *Catálogo* de 1873 y, con loable acuerdo, llama al *Museo,* pura y simplemente, *del Prado;* loa merecen también quienes se lo consintieron, consagrando así el nombre perdurable, breve e inconfundible.

EL MUSEO DEL PRADO

La restauración del rey Alfonso XII, con la deseada paz y la estabilidad, fue beneficiosa para el progreso del Museo. Continuó como director el discreto Sanz y Cabot, hasta su muerte, en 5 de mayo de 1881. En 14 del mismo mes se nombra, por segunda vez, a don Federico de Madrazo, ocupando la dirección hasta su muerte, acaecida el 10 de junio de 1894; si se suman sus dos etapas, su dirección dura treinta y un años.

En 1881 comienza a estudiarse la modificación del frente Norte del Museo. Se encarga a Suñol un grupo que remate la fachada. Proyéctase la reforma importante de rebajar el terreno hasta el nacimiento de los muros, así en esta fachada como en parte de la de Levante, que mira a San Jerónimo. El desembarazar al edificio en su planta baja del terraplén era aconsejable para evitar humedades; aunque algunos técnicos insistan en que con ello se falseó fundamentalmente el proyecto de Villanueva. El vaciado enorme obligaba a una escalinata, cuyos planos se encargaron al arquitecto don Francisco Jareño, en 1882, y los presentó en noviembre de 1883; es la que se construyó, y que fue modificada, para dar entrada directa a la rotonda baja, por el arquitecto don Pedro de Muguruza en el año 1942.

No eran tiempos en que fuera fácil el incremento cuantitativo de obras de arte. Sin embargo, se hicieron algunas compras y se recibieron algunos donativos, como se comprobará al estudiar el origen de los fondos artísticos.

Otra obra, deslucida pero necesaria, acometida por entonces, fue la reforma de la cubierta de la Sala de Isabel II, iniciada por Jareño, pero que hubo de realizar el ingeniero de caminos y director que fue de la Real Academia de la Historia don Eduardo de Saavedra. No se terminó hasta 1889.

Hasta cuatro ediciones se imprimieron del *Catálogo* en el reinado de don Alfonso XII y tres en la regencia de doña María Cristina, el último de ellos (1901) publicado después de morir su autor, don Pedro de Madrazo, el 20 de agosto de 1898.

Cuatro años antes le había precedido —como queda dicho— su hermano don Federcio, que vio instalada la Sala de la reina Isabel II después de la costosa edificación de su cubierta. Fue, también, cuando se cerró su pavimento, desapareciendo la balconada dominante sobre la planta baja.

A Madrazo suceden en la dirección por breves períodos don Vicente Palmaroli († en 1896), don Francisco Pradilla, que renuncia a poco de ser nombrado y don Luis Álvarez († en 1901), pintores los tres de gran autoridad y fama en su época, pero se comprenderá que

La Piedad (Cat. 2998). Fernando Gallego (trabajaba entre 1466-67 y 1507).

Cristo muerto, descendido de la Cruz, en brazos de la Virgen María, pasaje que en España acostumbraba denominarse *La quinta angustia*. Al fondo se precisa una ciudad gótica, irreconocible, cual si fuese Jerusalén, entre cerros arriscados, con lejanías por las que discurre un río. A la izquierda, pareja de donantes arrodillados con el letrero: *Miserere mei Dei.*

La tabla está firmada al pie, en el medio, en letras mayúsculas: FERNAND/signo de us/ GALLECUS, la U representada por una tilde sobre la segunda C.

Se pormenoriza, porque al no haberse interpretado rectamente se originó el apellido Gallegos dado generalmente al pintor, sin percatarse de que es el nominativo del singular latino *Gallecus;* si fuese plural habría firmado *Galleci.* Se ignora si con ello declara su nacimiento en Galicia; probablemente, no pasaría de oriundez.

Es pintura magistral, según Post, anterior al retablo de Zamora y precede a las dos tablas, una de ellas de igual tema, incluidas en el gran retablo de Nicolás Florentino de la catedral vieja de Salamanca.

El mismo historiador norteamericano de nuestra pintura hace ver que la moda del traje que viste el donante es ya la misma de los personajes pintados por Dietrick Bouts en Flandes; mientras es patente que deriva la composición del asunto de la tabla central del tríptico de Van der Weyden en la Capilla Real de Granada y en su copia, que estuvo en la cartuja de Miraflores.

En cambio, juzga difícil atribuir la composición dentro de un triángulo a que conociese Gallego obras de Conrado Witz y sugiere que la explicación puede hallarse si se piensa que los primitivos españoles pudieron recibir influencias de los germánicos como de los flamencos.

Se desconoce el origen de esta tabla; fue durante muchos años de la colección Weibel, en Madrid, siendo adquirida para el Prado por el Ministerio de Educación Nacional en 1959.

Con *La Crucifixión*, de la misma procedencia, y *El Cristo entronizado bendiciendo*, tabla fidelísima a la tradición de Flandes, que se reproduce en la página 87, constituye una muestra valiosísima del arte de Gallego en el Museo.

MISERERE MEI DNE

FERNADO . GALLEGS

FERNANDO GALLEGG
LA PIEDAD

en lapsos tan cortos de gobierno exigua había de ser su eficacia en el desarrollo de un centro que requiere labor continuada y lenta.

Para conmemorar el centenario de Velázquez, por entusiasmos del paisajista y crítico, especializado en el estudio del gran pintor sevillano, don Aurelio de Beruete y Moret, se dedicó la Sala de Isabel II a instalar sus obras —donde permanecen—; en la inauguración, el 6 de junio de 1899, leyó un discurso como presidente de la comisión. Acto coincidente fue descubrir la estatua sedente del mismo glorioso artista, obra de Aniceto Marinas, delante de la puerta principal del Museo.

Como sucesor de don Luis Álvarez fue nombrado director don José Villegas. Venía de Roma, donde había dirigido la Academia de Bellas Artes de España en el Janícolo. Dirigió el Museo hasta fines de 1918. En su época se hicieron en el Prado tres notables exposiciones: las de pinturas de El Greco en 1902, de Zurbarán en 1905 y de Morales en 1917. Tuvo mucha parte en las actividades del Museo con este director, el subdirector don Salvador Viniegra. Y, desde 1910,

La venida del Espíritu Santo (Cat. 2938 - Lienzo. 110 × 84). Juan de Flandes (trabajaba en España desde 1496-† 1519).

Pertenece a la misma serie que *La resurrección de Lázaro,* que se reproduce en color en la página 139. El interés que despierta la personalidad artística hispanoflamenca de su autor justifica la inserción en este lugar de otra tabla de las procedentes de San Lázaro de Palencia.

De las cuatro que de ellas posee el Prado es la más imprgnada de influjos italianizantes: el autor alardea de conocer pilastras y grutescos, evitando los recuerdos góticos; repárese, por ejemplo, en el costado del asiento de San Juan Evangelista, a la izquierda.

El tema, narrado en los *Hechos de los Apóstoles,* se trata agrupando las figuras a los lados de María no simétricamente, y en espacio apretado, casi angosto. Los discípulos del Señor carecen de atributos, por lo que no son reconocibles más que San Juan por su juventud, ya citado, y quien con él se corresponde, a la derecha, que, a juzgar por la esclavina, habrá de identificarse con Santiago el Mayor, vestido como peregrino. Por encima del trono de la Virgen planea la paloma del Espíritu Santo, centro de fulgores en semicírculos que, delicadamente, modelan a manera de lenguas de fuego. El colorido no es el claro y luminoso de las primeras obras del pintor —que parece al llegar a España extrañamente influido por las de madurez de Fernando Gallego— sino intenso y contrastado.

Las tablas compañeras de ésta, además de *La resurrección de Lázaro* que antes se menciona, son *La Anunciación* y *La Natividad,* que adquirió la colección, hoy Fundación Kress, de Washington, y *La oración del Huerto* y *La Ascensión,* propiedad del Prado. Formaron el retablo de San Lázaro de Palencia, que tendría en el centro una *Crucifixión.*

Ingresaron en el Museo en mayo de 1952.

Sigue sin tenerse noticias de cómo se apellidaba Juan de Flandes y de qué lugar hubo de salir, desconociéndose su formación artística. A. Sambon propuso hace muchos años que se le identificase con Giovanni di Giusto, que en 1469 aprendía el arte en Brujas, que trabajó en Nápoles en 1480-81 y que pasó después a Sicilia y a España.

contó el establecimiento con un secretario excepcional, don Pedro Beroqui, que, profesionalmente abogado y perteneciente a un Cuerpo administrativo, por haber estudiado pintura con el incansable investigador vallisoletano don José Martí Monsó, se convirtió en un sagaz frecuentador de archivos y puede decirse que renovó la historia del Museo, como la de muchísimos de sus cuadros, según pronto habremos de ver (murió a los ochenta y ocho años, el 16 de julio de 1955).

Dentro de la etapa de Villegas se dio otro paso trascendental en el desarrollo del Museo: la creación de su Patronato, por Real Decreto, refrendado por don Santiago Alba, en 7 de junio de 1912. Presidido por el duque de Alba y formado por coleccionistas, críticos e historiadores de las artes y artistas, comenzó a actuar enfocando las cuestiones más urgentes para conseguir elevar el nivel del Prado al de sus congéneres europeos. Decidió la ampliación de sus salas en veintidós, con luz cenital las de la planta principal y sin alterar el edificio de Villanueva: fue autor del proyecto el arquitecto don Fernando Arbós.

Al lado de esta empresa considerable, ordenó el Patronato, por iniciativa de mi maestro el doctísimo catedrático de Historia del Arte don Elías Tormo, que se procediese al estudio y copia de los inventarios de los Palacios y Sitios Reales, guardados en el archivo del Palacio Real, con el fin de poseer antecedentes de la historia de cada cuadro. Fui encargado para este cometido en octubre de 1913.

Comienza para quien esto escribe el período en el que surgen pareadas toda facilidad y toda dificultad. En mucho, a partir de entonces, la historia del Museo se convierte en memorias personales, primero, de un modesto testigo; luego, de un actor; en algunos tiempos, protagonista. Intentaré mantener la objetividad.

Las obras de ampliación cerraron dos patios, hacia San Jerónimo, entre los cuerpos Norte y Sur y el central, o Sala de Velázquez, y se ejecutaron de 1914 a 1920.

Las discrepancias entre el Patronato y la Dirección —director, don José Villegas; subdirector, desde 1914, don José Garnelo—, nacidas con ocasión del robo de algunas de las alhajas y deterioro de otras del "Tesoro del Delfín", descubierto en septiembre de 1918, motivó la renuncia de éstos. El Patronato propuso y el ministro de Instrucción Pública y Bellas Artes nombró, en 31 de diciembre, para director a don Aureliano de Beruete y Moret, hijo del pintor y crítico antes mencionado, coleccionista, autor de notables monografías, entre ellas los tres volúmenes consagrados a Goya (1916-1918), y que era vocal del Patronato, y para subdirector a don Fernando Álvarez de Sotomayor, pintor afamado, que había sido pensionado en Roma y que, llamado por el Gobierno de Chile, había creado con éxito la Escuela de Bellas Artes. Por vez primera la dirección del Prado se desempeñaba por un conocedor y escritor que no era artista profesional.

También en 1.º de enero de 1919 comenzó a funcionar con regularidad una mínima comisión catalogadora, formada por mi malogrado amigo y colaborador don Juan Allende-Salazar —uno de los españoles que más han sabido de pormenores de historia de la pintura, y al que la mala salud inutilizó para escribir las obras que de él cabía esperar— y por quien firma estas páginas, los dos en relación estrecha con don Pedro Beroqui, que, en el año siguiente, publicaba una edición del *Catálogo* en cuya portada, por deferencia y humildad excesivas, conservó el nombre de don Pedro de Madrazo.

El avance de las obras de ampliación consintió en 1920 la inauguración de las salas de pintura francesa, de El Greco y, luego, las del *Cristo,* de Velázquez, y de los *Paisajes de la Villa Médici.*

En la primavera de 1922 se trabajaba en la instalación de las pinturas del salón dedicado a Rubens cuando, tras larga enfermedad, moría el 10 de junio, y antes de cumplir los cuarenta y cinco años, el director, señor Beruete. Pasó a ocupar la dirección el señor Álvarez de Sotomayor y con sorpresa máxima, incluso para mí, pasé yo a la subdirección.

Se trabajaba, a la sazón, en el arreglo y ornato de la sala grande de Velázquez. Era el señor Beruete hombre de decisiones rápidas y había dejado sin resolver, al menos sin ordenar, la terminación de dicha sala.

Antes de acabarse el año 1922 entraron a servir al Museo el gran arquitecto don Pedro de Muguruza, que proyectó y dirigió cuantas obras se realizaron hasta 1942, y el hoy docto catedrático y académico don Diego Angulo, que me sucedió en la comisión catalogadora.

Sería cansado e inútil hacer la crónica de la renovación de todas las salas del Prado en su destino y ornato; enumeraré, tan sólo, las tareas de mayor aliento: construcción de la escalera, al lado de las salas de Velázquez (1926); protección de la galería central, abovedándola con hormigón armado (1927); instalación de los cartones para tapices de Goya (1928); escalera y salas de la tercera planta en el cuerpo norte (1929-30), y las obras para la instalación del legado de Fernández-Durán (1930-31).

En estos años se celebraron en el Museo tres exposiciones: en 1927, la internacional de la calcografías de Roma, París y Madrid, patrocinada por el Office International des Musées; en 1928, la magnífica del centenario de Goya, y en 1929, la conmemoración del segundo centenario del nacimiento de Mengs. Estas dos últimas motivaron la publicación de *Catálogos* extensos; el de Goya redactado por don Enrique Lafuente, aprovechando notas y consejos del señor Allende-Salazar, y el de Mengs por quien esto escribe.

Pero estas continuadas mejoras con programa abierto y proseguidas con la absoluta identificación del Patronato, dirección y arquitecto; facilitadas por todos los gobiernos y atendidas, con heredado amor al Museo, por S. M. el rey don Alfonso XIII, parecieron detenerse con el cambio del régimen (abril de 1931). Produjo éste la renuncia del director, que en el mes de mayo fue sucedido por don Ramón Pérez de Ayala, ilustre escritor, novelista y ensayista, que, por los mismos días, nombrado embajador de la República en Londres, sólo al cesar en este cargo, cinco años después, hubo de incorporarse a la dirección y no más que por tres meses, bien azarosos en la vida madrileña.

Durante el lustro 1931-36 tuve el honor, y el peso, de ser a la vez director interino y subdirector; no me faltó el apoyo del Patronato, que continuó con el duque de Alba en la presidencia, ni tampoco me faltaron la colaboración del secretario ejemplar don Pedro Beroqui, ni el constante auxilio técnico del arquitecto don Pedro de Muguruza. Gracias a los concordes esfuerzos de todos se terminó la instalación del legado de Fernández-Durán (junio de 1931), se instalaron los dibujos de Goya y, en la medida de lo posible, se prosiguieron las obras por las de la espléndida rotonda de la planta baja —antes mencionada—, que pudo inaugurarse con ocasión del Congreso de Museografía, organizado por el Office International des Musées —Institut de Coopération Intelectuelle— de la Sociedad de Naciones, en noviembre de 1934. Asimismo, se construyó el almacén con bastidores metálicos (1935).

En 1933 publiqué el *Catálogo,* único topográfico y comprendiendo la Escultura.

Pocas semanas transcurridas de haberse hecho cargo de la dirección el señor Pérez de Ayala, se inició el Movimiento Nacional (18 de julio de 1936) y en Madrid comenzaron los desórdenes revolucionarios que desembocaron en la guerra civil. El Museo estuvo abierto hasta el 30 de agosto.

En los primeros días de septiembre consiguió marchar al extranjero el señor Pérez de Ayala, y el día 20, el Gobierno republicano nombraba director del Museo a don Pablo Picasso, que no tomó posesión ni pisó el Museo. Testigo el que esto escribe de mayor excepción, no comprendió entonces, ni se explica hoy, fuera motivos de propaganda, qué se pretendía con este nombramiento. En días amargos hube de leer unas declaraciones del célebre artista —cuya genialidad y cuyo papel en la evolución del arte durante más de medio siglo nadie, conscientemente, puede negar— en las que me enteré, con asombro, que el Prado "estaba guardado por los heroicos milicianos y había que esperar a la victoria del pueblo para poder actuar...".

De lo ocurrido en el Museo hasta primeros de enero de 1938, en que se me ordenó hiciese entrega del cargo al arquitecto y pintor don Roberto Fernández Balbuena, hice a su tiempo relación documentada. Bastará decir aquí que el Museo no sufrió la menor violencia; que los cuadros fueron apilados en las salas más fuertemente abovedadas; que se emplearon como protección los sacos terreros; que desde primeros de noviembre de 1936 se comenzó a ordenar el envío a Valencia de obras de arte, frente a la opinión del que esto escribe, que veía mayor riesgo en el viaje y en la posible exportación que con la permanencia en Madrid, convencido de que el Museo no había de ser atacado desde el aire, intencionadamente, y de que si alguna bomba cayese en sus inmediaciones, las medidas precautorias adoptadas evitarían cualquier catástrofe.

Llegaron a salir por órdenes sucesivas, cuyo cumplimiento se demoraba cuanto era posible, para ver si el final del asedio a la capital evitaba los peligros, para las obras de arte, de su desplazamiento, hasta 525 cuadros, no hay que decir que, cuidadosamente elegidos, 185 dibujos de Goya y las alhajas del "Tesoro del Delfín".

El 28 de marzo de 1939 se liberaba Madrid y dos días después se me encargaba, de nuevo, del Museo. Sin pérdida de días se comenzó la limpieza y reparación del edificio, que durante la guerra procuré preservar de la ruina; pese a las burlas de quienes prometían que con su triunfo, el Pueblo construiría un Museo incomparablemente mayor y mejor, por lo que era inútil —decían— tapar huecos y evitar que se pudriese la madera.

Se trabajó con tanto entusiasmo que el 26 de abril pudieron el ministro de Educación y las autoridades visitar el Museo ordenado con todo lo que conservaba. El 15 del mes de mayo llegó la primera expedición de cuadros que se habían sacado del Museo y de otras procedencias; las demás devoluciones no se hicieron esperar.

El 7 de julio abrió el Prado sus puertas, cerradas el 30 de agosto de 1936. Para cubrir los huecos de las pinturas que aún no habían retornado se expusieron cuadros ajenos, de iglesias, conventos y museos —no de particulares— que habían sido "incautados o protegidos". Al catálogo de la exposición le puse el título, sobrado llamativo: *De Barnaba da Módena a Francisco de Goya. Exposición de pinturas de los siglos XIV al XIX recuperadas por España.*

Mientras tanto, en Ginebra se admiraba la deslumbrante exposición, organizada con una selección de las pinturas del Museo y con tapices de Palacio, por don Fernando Álvarez de Sotomayor, a quien el Patronato del Prado, que funcionaba en la España Nacional bajo la presidencia del conde de Romanones, director de la Real Academia de Bellas Artes de San Fernando, se la había encomendado.

El éxito europeo de esta primera, y quiera Dios que última, salida de los máximos tesoros del Museo fue nunca visto. En los comienzos de septiembre el panorama internacional, conturbado con el inmediato estallido de la guerra, forzó el cierre de la exposición y su transporte a Madrid en tren, por líneas desviadas y con las luces apagadas, previsoramente.

La devolución de cuanto había sido llevado del Museo fue total y, salvo ligeros deterioros —los más graves en *Los fusilamientos* y, sobre todo, en *La carga de los mamelucos,* de Goya—, de la temerosa y temeraria aventura se salió sin menoscabo para sus fondos artísticos.

Regularizado el funcionamiento del Patronato, restablecidos en la dirección el señor Álvarez de Sotomayor —que la había ocupado desde junio de 1922 hasta abril de 1931— y en la subdirección el autor de estas páginas, se reinstaló el Museo tal como estaba en julio de 1936.

La primera obra que se inició fue la transformación de la escalinata para dar acceso directo a la rotonda de la planta baja, que pudo inaugurarse en 1942.

Entretanto se construía, la visita del Jefe del Estado en febrero de 1942 tuvo por consecuencia el plan de sustitución de entarimados y zócalos de madera por pavimentos y elementos decorativos incombustibles; tarea costosa hoy muy avanzada. A continuación se habilitaron las hermosas instalaciones para las alhajas del "Tesoro del Delfín" y para la estatuaria antigua, presidida ésta por la *Dama de Elche,* que fue una de las piezas cambiadas a Francia en 1941 por cuadros, dibujos y un tapiz. En esta última sala se instaló, asimismo, parte importante del donativo de esculturas hecho en el mismo año por don Mario de Zayas, súbdito mejicano, hijo de española. Estas salas con suelo, zócalos y jambas de mármol dieron la pauta para las que se han continuado.

Una objeción se ha hecho por algunos a esta reforma: la dureza y lo resbaladizo del suelo. Es reparo que, aunque fuese motivado, se anularía con advertir la seguridad que proporciona al no ser combustible y la ventaja de suprimir el ruido perturbador del taconeo en salas tan frecuentadas como las del Prado.

La mejora de las instalaciones al llegar al año de 1953 promovió la consideración de la necesidad del aumento de locales. Estudiadas diversas proporciones, hubo de escogerse la proyectada por los arquitectos don Manuel Lorente, adjunto a la Dirección del Museo, y don Fernando Chueca, cuyos estudios sobre el Prado se aprovecharon antes. Su proyecto, de gran sencillez y muy acertado, aumentaba en dieciséis salas, cuatro de ellas dobles, el número de las existentes en el Museo.

Quedaba la obra reducida a dos cuerpos que, dentro del propio jardín, se adosaban a los edificios por don Fernando Arbós, sin tocar la fábrica antigua. El proyecto se realizó con rapidez inverosímil dados los materiales empleados; en gran parte, granito y mármol; sólo once meses bastaron para la construcción. El día 9 de junio de 1956 fue inaugurada esta importantísima adición que ha permitido instalar con relativa holgura muchos cuadros hace años no visibles, o mal colocados, y sobre todo, ha valido para ordenar mejor los fondos, porque, en realidad, se ha reinstalado el Museo por completo en sus plantas baja y principal.

San Sebastián (Cat. 3002 - Lienzo. 115 × 85). Domenico Theotocópulis "El Greco" (1540-1614).

La figura, de más de medio cuerpo, desnuda, atada a un árbol, al que se le ha cortado la copa y es su corte todavía fresco, de los más veraces trozos de la pintura de su autor, pues pocas veces se ha conseguido con los pinceles acierto comparable.

Igualmente asombra, cabría decir que sobrecoge, el modo cómo las flechas penetran en la carne del mártir. Flechas de acero, sin duda; bien que Cossío las interprete como "embriagadoras flechas de un amor celeste".

El Greco a poco de llegar a España había pintado el *San Sebastián* de la catedral de Palencia, en el cual testimonia la complacencia en la belleza, según el concepto clásico, que la larga demora en el ambiente extremado de Toledo había trocado su espiritualidad y ascetismo pungentes del espectador.

Las formas y la densidad de las nubes, y los claros dramáticos del azul lívido del cielo, coadyuvan al efecto hondo que causa el lienzo.

Es obra de los últimos años del artista; ninguna posterior posee el Prado.

En etapa precedente y cercana había ejecutado el *San Sebastián* de la colección real de Bucarest, muy semejante.

Fue adquirido en el comercio por el marqués de Casa-Torres, quien, antes de 1908, lo cedió al de la Vega Inclán, mas, por otro cambio, pasó de nuevo al anterior poseedor.

Ingresó en el Museo en diciembre de 1959, donado por la marquesa viuda de Casa-Riera y condesa viuda de Mora —madre de S. M. la reina de Bélgica— en memoria de su padre, el marqués de Casa-Torres, coleccionista, que fue vocal del Patronato del Prado desde su creación en 1912, hasta su muerte en 1954.

Quedaría incompleta esta noticia histórica, que al alcanzar nuestros días adquiere carácter de memoria, o reseña, si no se añadiesen algunas precisiones.

Al desaparecer el conde de Romanones, el año 1950, fue nombrado presidente del Patronato el ilustre literato y ex ministro don Rafael Sánchez Mazas. Al arquitecto don Pedro de Muguruza, autor de todo lo reseñado desde el otoño de 1922 hasta febrero de 1952, en que falleció, le sucedió su hermano don José María, que ha dirigido la ejecución del proyecto de los señores Lorente y Chueca, además de haber proyectado la reforma de la rotonda de Goya y la obra importante del semisótano, la transformación de la galería central, de las salas de Velázquez y El Greco, y las obras en la planta baja —sala de pintura española del siglo XVI, salas de dibujos de Goya, una de ellas de nueva planta, "buffet", etc.—.

En 17 de marzo de 1960 moría don Fernando Álvarez de Sotomayor, después de una larga, fecunda y celebrada gestión, sucediéndole quien escribe estas páginas, durante muchos años su colaborador.

El descendimiento de la Cruz (Cat. 3017 - Lienzo. 141 × 128). Pedro Machuca (fines del siglo XV-1550).

Obra de importancia en el desarrollo de la pintura renacentista en España. Machuca, conocido, principalmente, como gran arquitecto —es el autor del grandioso palacio de Carlos V en la Alhambra de Granada—, en su tiempo figura en la documentación como pintor. Soldado en Italia, adonde se supone que fue con el conde de Tendilla, allá debió de formarse. Como "hispanus" y "toletanus" firma en 1517 la tabla *La Virgen y las ánimas del Purgatorio*, adquirida en Italia para el Museo en 1935 (núm. 2579) del *Catálogo*.

La composición resulta grandiosa, y vigoroso el colorido. Algún pormenor cual el del niño con un paño en la garganta, por padecer de paperas, da una nota inesperada dentro de la tendencia manierista a la que se mantiene fiel el pintor. Su manierismo suma recuerdos parmesanos y romanos a pormenores nórdicos.

Conserva, algo deteriorado, el letrero:

ESTE RETRATO MANDO HAZER DOÑA INES DE CASTILLO
MUGER DE GARCIA RODRIGUEZ DE MONTALVO REGIDOR
DE ESTA VILLA. ACABOSE AÑO DE 1547

leído no sin dificultades, por el subdirector del Prado don Xavier de Salas.

Se desconoce a qué villa puede referirse, seguramente andaluza, de tierra de Granada, o de Jaén, en las que a partir de 1520 se desenvolvió la vida del gran artista italianizante.

La historia moderna de esta tabla es sabida: desde antes de 1870 estaba en la colección Bourgeois Frères de París, que se vendió en Colonia en 1904; luego, perteneció a la de Hatvany y a la del barón M. de Herzog, de Budapest, y a la de Mme. Dimitri Angelopoulos, de París, vendida por Sotheby. Fue adquirida por el Museo del Prado a Colnaghi de Londres, en 1961, por 7000 libras.

Ha sido publicada varias veces por R. Longhi, Ch. R. Post, Angulo, etc.

LOS FONDOS PICTÓRICOS

Origen y rasgos generales.

Apenas hay que decir, por ser obvio, que en un museo, si importa mucho su edificio, su instalación, sus elementos rectores y técnicos, todo ello es secundario ante los fondos. Por multitud de circunstancias históricas, los acumulados en el Prado responden a una verdadera selección.

Las condiciones del ambiente en la altiplanicie castellana, seco y puro, hasta ahora con muy escasos humos —aunque en los últimos quince años la creciente industrialización los haya aumentado—; la inmovilidad secular, o por lo menos, los cortos desplazamientos de los Sitios Reales a Madrid de tablas y lienzos y la práctica de conservar y limpiar las pinturas con el empleo mínimo de agentes químicos, tradicional entre los pintores de cámara que tenían a su cargo este cometido, y continuada en el Prado, ha producido que el estado de la mayoría de sus cuadros sea única entre los similares; compárense, por ejemplo, nuestros lienzos de Poussin con los de otros museos y se comprobará lo que aquí se señala.

Fuera de estas observaciones de carácter general conviene hacer otra que se deduce de la historia y que explica y define algo de lo que se acaba de indicar.

Los reyes de España, mejor dicho de Castilla, a partir de Juan II († en 1445) fueron aficionados a poseer y adquirir pinturas. La afirmación queda deficiente si no se le añade una segunda parte trascendental, y casi increíble: esa afición fue transmitida de unos a otros hasta Isabel II, inclusive, destronada en 1868. Y nótese que la línea regia se quebró dentro de estos límites cronológicos en tres dinastías: la de Trastamara, la de Austria y la de Borbón; claro está que manteniéndose siempre una cantidad de sangre originaria en el paso de unas a otras. E importa relativamente poco que este rey, o el otro, no fuesen agudos de inteligencia ni muy cultos —un Carlos II, un Carlos IV, un Fernando VII, una Isabel II—; en lo tocante a pintura mostraban sin excepción gusto e interés. He aquí cómo una afición familiar, de la familia que durante casi tres siglos fue la más poderosa de Europa, pudo reunir una colección maravillosa y selecta cual ninguna.

Antes de analizar, bien que sumariamente, las aportaciones respectivas, debe consignarse otra nota distintiva del Museo del Prado: la falta en él de obras de arte adquiridas mediante guerra o con violencia.

Los reyes de España, cuando dominaban numerosas tierras europeas ricas en pintura, objeto de su predilección, respetaron siempre las propiedades de sus demás reinos y de las iglesias, corporaciones y particulares de ellos. Si podían, compraban; si no, y tenían interés grande por alguna obra determinada, se conformaban con hacerlas copiar.

Esta masa fabulosa de pinturas no se conserva intacta. Cuatro incendios, dos de ellos destructores de muchas obras de arte, sufrieron las colecciones regias, a saber: el del palacio de El Pardo, en 13 de marzo de 1604; los dos de El Escorial de 1671 y 1763 y el devastador del Alcázar de Madrid del 24 de diciembre de 1734. Agréguense las pérdidas ocasionadas por las guerras de Sucesión (1710) y de la Independencia (1808-1813), con las consiguiente rapiña y con la desidia por recobrar la parte que del "equipaje del rey José" estaba en manos de lord Wellington y, sin entrar en pormenores, se percatará el lector de cuán mermado hubo de llegar al siglo XIX el tesoro pictórico de nuestros reyes.

Comenzaron éstos sus adquisiciones antes de mediar el siglo XV. Juan II regala a la cartuja de Miraflores (Burgos) tres tablas de "Maestre Rogier —Van der Weyden— magno et famoso flandresco" que están en el Museo de Berlín.

Probable donación de Enrique IV al monasterio de El Parral de Segovia, pues allí se registra en 1454, en la tabla eyckiana *La fuente de la gracia,* que posee el Prado.

Estos ejemplos aislados, indicios, únicamente, de una colección regia, al llegar el reinado posterior de Isabel la Católica (1473-1504) se convierten en series con sus inventarios correspondientes; y lo que es más, resta de cuanto reunió más de medio centenar de pinturas: 38 en la Capilla Real de Granada, 15 en el Palacio Real de Madrid; una docena diseminada por el extranjero. Quien desee más particular noticia de caso tan extraordinario consulte mi monografía: *Libros, pinturas y tapices que reunió Isabel la Católica* (Madrid, 1952). Nada guarda el Prado que haya pertenecido, con seguridad, a la gran reina, aunque sea probable encargo suyo la tabla, procedente de Santo Tomás de Ávila, en que está retratada orante a las plantas de la Virgen con el Niño Jesús, acompañada por el Rey Católico, el príncipe don Juan, la princesa doña Isabel, fray Tomás de Torquemada y Pedro Mártir de Anghiera, o Anglería, primer cronista de América en su libro *Orbe novo Decades.*

Páginas atrás se aludió a la tardía vinculación a la Corona de las colecciones artísticas, y eso fue también una razón para su menoscabo, puesto que la necesidad unas veces y la costumbre otras, motivó el que a la muerte de un monarca se vendiesen, en todo o en parte, sus colecciones, para atender a obligaciones impuestas en los testamentos —pagos de deudas, mandas piadosas, legados—. Esto ocurrió al morir Isabel la Católica: salváronse de la venta los cuadros entregados a la Capilla Real granadina, pero se vendieron las 46 tablas del políptico de Juan de Flandes y Maestre Michel Sithium, de las cuales se conservan 15 por haber adquirido 32 Margarita de Austria, nuera de la reina. De las pinturas que de su colección han llegado a nuestros días se infiere la preferencia por las flamencas, pues en el cuantioso resto aludido sólo dos: *La oración del huerto,* de Botticelli, y el *Cristo en pie en el sepulcro,* de Perugino, son excepciones italianas.

Esta nota contribuye a explicar la escasez de primitivos italianos en España; como si aquí la tendencia realista en el arte hasta en esa particularidad se revelase.

El siglo XVI.

En el efímero reinado de Felipe el Hermoso no hubo tiempo para pensar en pinturas, y tampoco en la minoridad de Carlos V, con una madre demente.

Cuando el Emperador despliega su vitalidad pasmosa no tarda en revelar afición a las Bellas Artes y, en especial, a la pintura. Lo demuestran —escribe Beroqui— sus excursiones por Bolonia y la recomendación que años más tarde hiciera a Francisco de Holanda de que no dejase de ver allí las pinturas de San Miguel. En Augsburgo, de los luteranos que acompañaban al prisionero Juan Federico de Sajonia, únicamente le merece bondadosa acogida el viejo Cranach, que le había retratado de niño; y le contó que sólo enseñándole una lanza consiguió que levantase la vista y permaneciera quieto unos instantes... Carlos V era exclusivista y si admiraba a Correggio y a Parmigianino, *su pintor* fue Ticiano, a quien vivamente instó para que viniese a España y le acompañara en la expedición a Túnez...

"El inventario... de los cuadros que el Emperador trajo a España se firmó en Bruselas a 18 de agosto de 1556. En él figuran, además de *La Trinidad* (La Gloria), *Ecce-Homo* y *Dolorosa,* los retratos del *Emperador y la Emperatriz juntos,* la *Emperatriz sola* y el *Emperador armado,* todos de Ticiano; varios cuadros religiosos de Coxcie y el retrato de *María Tudor,* pintado por Moro."

Se habrán reconocido varios cuadros que hoy están en el Prado. Y no son todos los que, poseídos por Carlos V, se conservan: así el tríptico de Memling (v. pág. 106) y el cuadro de Jacopo Bassano *Entrada de los animales en el arca* (v. pág. 281) y, seguramente, otros de origen no documentado.

El advenimiento al trono de Felipe II significó algo fuera de medida en la historia de los mecenazgos artísticos. No era un mero aficionado, venturoso en sus encargos y en sus adquisiciones; procedía como un verdadero conocedor, preocupándose en su correspondencia por las minucias de los embalajes de los cuadros que le remitían desde Venecia.

Viéronse por primera vez Felipe II y Ticiano en Milán entre el 20 de diciembre de 1548 y el 7 de enero de 1549; allí le hizo su primer retrato.

En carta del rey a su emisario Vargas en Venecia, del 6 de diciembre de 1554, escrita en Londres, al acusarle recibo del lienzo de Ticiano *Venus y Adonis* (v. pág. 279) le advierte que llegó "maltratado de un doblez que traía al través por medio de él", leve deterioro que aún hoy se percibe.

Analizó Beroqui, por menor, las relaciones del monarca con el enorme artista veneciano, que explican el número y la calidad de las pinturas suyas que obtuvo durante casi un cuarto de siglo.

Pero, además, no estribó de modo exclusivo tan sorprendente cosecha de obras maestras en el trato directo, pues también se aprovechó Felipe II de dos herencias, la paterna y la de su tía doña María de Hungría, hermana del Emperador y su prudente consejera, que murió en 18 de octubre de 1558. Había reunido en sus palacios de Mariemont y Bins importantes joyas artísticas de pintura y escultura, que pasaron a su sobrino, al que no tenía gran cariño. De ella proceden el *Sísifo* y el *Ticio, La emperatriz Isabel, Carlos V ecuestre, Felipe II armado,* el *Salvador,* fragmento de *La aparición de Cristo a la Magdalena* que se arruinó en El Escorial; todos ellos de Ticiano y *El descendimiento,* de Rogier van der Weyden, por citar sólo cuadros magistrales. También heredó Felipe II de doña María la maravillosa tablita *Los Arnolfini,* perdida para España en la guerra de la Independencia y joya de la National Gallery, en Londres.

Para percatarnos de la finura de percepción, así de Felipe II como de la reina viuda de Hungría, es curioso leer los juicios que uno y otra formulan sobre el admirable retrato del primero con armadura, que, como es sabido, sirvió para que le conociese su prometida María Tudor, reina de Inglaterra. El 16 de mayo de 1551 envía el príncipe el lienzo a su tía y le dice que al retrato "mio armado se le parece bien la priesa con que le ha hecho y, si hubiera más tiempo, yo se le hiciera tornar hacer". El 19 de noviembre de 1553 remite el cuadro doña María de Hungría a Simón Renard, para que se lo entregue a la reina inglesa, y le dice: *faicte de la main de Titiano il y a trois ans;*

jugée par tous, selon qu'il estoit lors, fort naturelle. Vray est que la paincture s'est un peu gastée par le temps, et en l'apportant d'Augsbourg ici; si est-ce qu'elle verra assez par icelle sa ressemblance, la voyant a son jour et de loing, come sont toutes painctures dudit Titien, que de près ne se recongnoissent. La diferencia entre las pinturas muy acabadas y esmaltadas de las escuelas nórdicas y la técnica suelta y envuelta en luz de Ticiano dicta estas advertencias más propias de expertos que de aficionados.

En las notas explicativas de la página 118 se encontrarán más datos de la relación entre el rey y el veneciano. Asimismo, en páginas anteriores se hacen referencias a las pinturas coleccionadas por Felipe II en El Escorial. Cuando se contempla en conjunto esa cosecha ingente, mediante los inventarios de los palacios reales de Madrid y de El Pardo y los documentos de entrega al monasterio de San Lorenzo, el juicio del mecenas excepcional que fue Felipe II obliga a respeto y a gratitud.

Retrato de miss Marthe Carr (Cat. 3011 - Lienzo. 76 × 64). Sir Thomas Lawrence (1769-1830).

Figura de medio cuerpo, sentada, con los brazos caídos a los lados del busto. Joven, de rostro expresivo, cabellera empolvada de blanco, cinta al cuello, a manera de gargantilla; viste corpiño color de rosa, como la falda; cinturón ancho con hebilla. Sobre los hombros, pañoleta de tul. A la izquierda, ventana con fondo impreciso, luminoso. Detrás, cortina.

El apellido Carr era de los condes de Somerset, vizcondes de Rochester en el siglo XVI.

Es ejemplar característico del retrato elegante, en el que el arte de Lawrence encontró sus mayores éxitos, y con el que dio modelos para los pintores de las cortes europeas durante todo el siglo XIX y primera mitad del nuestro. Género artístico refinado, con el riesgo de caer en artificios y convencionalismos, pero grato y decorativo como pocas de las fórmulas pictóricas en uso desde el Renacimiento.

Lawrence sucedió a Reynolds como Pintor regio, y también como presidente de la Royal Academy. Ya en vida alcanzó fama en el extranjero, sobre todo en Francia, a donde fue en 1825 para retratar a Carlos X, al Delfín y al duque de Richelieu.

Para valorizar justamente la obra de Lawrence sería necesario confrontarla con la del grupo de sus contemporáneos y especialmente con la de Hoppner y la de Raeburn, figuras destacadas de la escuela británica con carácter propio que responde plenamente al ambiente y circunstancias de la época.

Lawrence, sin poseer el vigor y la personalidad de ambos artistas ni su depurado concepto de la obra artística, tuvo, en cambio, la virtud de representar fielmente y con sincera ingenuidad el ambiente y las ambiciones de la sociedad de su época. Su arte refleja lo superficial sin pretensión de calar más hondo en sus modelos, y si bien se resiente de algún fallo de técnica, tiene la fuerza suficiente para ser considerado como el más representativo de los intérpretes de la sociedad inglesa de fines del siglo XVIII.

El lienzo fue adquirido para el Museo, en Londres, por la cantidad de 960.000 pesetas.

Sacó Beroqui la cuenta de los cuadros que poseyó: 117 en El Pardo; 358 en el Alcázar madrileño. Suménseles los que el P. Zarco cuenta en El Escorial :1.150.

El siglo XVII.

No es fácil después de Felipe II el recuento exacto, porque el incendio de El Pardo de 1604 —donde se quemaron 50 retratos y se salvó el célebre cuadro de Ticiano *Júpiter y Antíope,* perdido después por España, y gala del Museo del Louvre— inició los trasiegos en grande escala de unos palacios a otros de obras de arte. En el *Catálogo* del Prado podrá, quien le interese, averiguar cuáles pinturas que fueron de Felipe II figuran en sus salas.

No cabe comparar a Felipe III con su padre; sin embargo, dos hechos mantuvieron durante su reinado la afición pictórica: la pri-

Paisaje (Cat. 3008 - Lienzo. 194 × 150). Bartolomé Esteban Murillo (1618-1682).

País abrupto con montañas rocosas muy escarpadas en la lejanía, pero que por su elevación llenan el fondo: entre ellas ha abierto cauce un torrente, viéndose en primer término un puente de madera que acaban de pasar una mujer sobre un asno, que lleva del diestro un muchacho y va seguida de un campesino. En segundo término, y en plano más alto, a la puerta de una choza, otra mujer echa grano a las gallinas. Sobre las montañas, reflejos de fulgores rosados.

Es excelente trozo de pintura, para algunos conocedores con caracteres poco convincentes de la atribución. Sin embargo, aparte que Murillo es pintor mucho más complejo de cuanto, comúnmente, se supone, es tan notoria la diferencia con los paisajes de su discípulo Uriarte, quien mejor le siguió, que no cabe adscribirlo a su pincel.

Hay en el lienzo un pormenor característico del temperamento y de la técnica de Murillo: la choza con la mujer y las gallinas, anécdota observada por un realista y ejecutada magistralmente.

La atribución a Murillo es vieja. Debe ser la pintura de la colección H. A. Munro, vendida en 1878, mencionada por Curtis en su catálogo *Velázquez and Murillo.* Otro ejemplar, de distintas medidas, fue publicado por Mayer en su *Murillo* de la colección *Klassiker der Kunst,* perteneciente al Museo de La Haya, que no he logrado ver.

Hay en el *Paisaje* como anticipaciones de un romanticismo pictórico que causa sorpresa.

El paisaje fue un tema que agradaba cultivar al famoso pintor sevillano, tema, por cierto, que no gozaba entonces del favor popular. Pero el artista aprovecha el pretexto que le ofrecen las composiciones religiosas que constituyen la mayoría de sus encargos —*El Buen Pastor* (Museo del Prado) *El milagro de los panes y los peces, El milagro de las aguas* (ambos en el Hospital de la Caridad de Sevilla), entre otros— para introducir el paisaje: un paisaje que entone y complete el conjunto con las figuras del lienzo y que participe de esa atmósfera dorada y misteriosa de que Murillo tiene el secreto y que, a tono con su época, dará una forma idealizada y convencional.

Pero el paisaje reproducido en la página de enfrente ofrece la particularidad de haber sido realizado por el autor de las *Inmaculadas,* no para servir de telón de fondo a una composición de figuras sino como mero paisaje, un paisaje idealizado con todas las características del arte del pintor.

El lienzo fue adquirido por el Patronato del Museo en Londres, en el año 1952.

vanza de su poderoso valido el duque de Lerma, aficionado a poseer cuadros y la venida a España en 1603 de Pedro Pablo Rubens. Lerma adquirió *La Anunciación,* del Beato Angélico (v. pág. 81), y de la primera estancia de Rubens y pintados para el mismo duque tenemos el *Apostolado,* así como el *Demócrito,* el *Heráclito* y el *Arquímedes.*

Aventajó a sus predecesores, en gusto y conocimientos de pintura, Felipe IV, quien poseyó una colección sin rival en su tiempo y que acaso ninguna posterior superó, porque, a cuanto heredó, hubo de agregar las compras hechas en Londres en la almoneda en que se vendieron los cuadros que había reunido Carlos I, las realizadas en Italia por algunos de sus virreyes y por Velázquez; la estancia segunda en España de Rubens (1628-1629); los numerosísimos encargos posteriores al mismo; los envíos desde Flandes de su tía la infanta-archiduquesa Isabel Clara Eugenia y, por si todo ello no supusiese ya el más deslumbrador cúmulo de obras magistrales de la pintura en sus dos siglos de mayor desarrollo, el servicio constante a lo largo de treinta y siete años de Diego Velázquez, que apenas pintó para otro cliente más que para su rey y su amigo.

Enumerar cuanto adquirido o encargado por Felipe IV permanece en el Prado obligaría a relación larga y cansada; de su *Catálogo* puede obtenerla el lector.

Tuvo el rey empeño en completar la representación de pintores de los cuales no había nada, o muy poco, en las colecciones heredadas; por ejemplo, de Rafael, y esto le indujo a forzar en dos ocasiones, o a consentir que se forzasen, los trámites adquisitivos.

Por ser casos excepcionales —distantes de las presas *manu militari* y de las órdenes ineludibles— conviene referirlos.

El uno, *La caída en el camino del Calvario,* de Rafael (v. pág. 277) pintado para la capilla de Nostra Signora dello Spassimo del convento de los olivetanos de Palermo —de donde el nombre vulgar y engañosamente ponderativo "El pasmo de Sicilia"—: al querer comprarlo para Felipe IV el virrey conde de Ayala encontró resistencia por parte de la comunidad, pero logró, al fin, la adquisición que pagó con muy alto coste: una renta anual para el convento por valor de 4000 ducados y más de 500 que recibió el prior, encargado de traer el cuadro a Madrid.

También recurrió a grandes esfuerzos el duque de Medina de las Torres, virrey de Nápoles, para conseguir que el general de los dominicos le regalase, contra el parecer del prior de los de aquella ciudad y es de suponer que contra el deseo de la comunidad, *La Virgen del Pez,* de Rafael (v. pág. 277), que, al terminar su virreinato, presentó al rey.

Estaba Felipe IV alerta a las ventas que en Europa se hacían de obras de arte y gracias a esta atención vigilante obtuvo piezas valiosísimas.

En la almoneda verificada en Londres, después de la decapitación de Carlos I, tuvo como agente a don Alonso de Cárdenas, con el que se comunicaba a través de su ministro y valido don Luis Méndez de Haro. Es de lamentar que los dos incendios del Palacio de Liria en el siglo XIX hayan dejado mutilada la correspondencia sobre estas compras; pocas habría de mayor interés para nuestro tema; sin embargo, con sus fragmentos y con las marcas bajo corona de C-R —*Carolus Rex*—, que se ven en los dorsos de los cuadros, se puede formar la lista incompleta de las joyas que adquirió: el *Tránsito de la Virgen,* de Mantegna (v. pág. 83); "la Perla", de Rafael (v. pág. 277); *La alocución del Marqués del Vasto, Carlos V con el perro* y *Venus y la Música,* de Ticiano; *La Virgen con el Niño Jesús, un santo y un ángel,* de Andrea del Sarto (v. pág. 112); *Las bodas de Caná* y *Jesús y el centurión* (v. pág. 137), de Veronés; *El lavatorio,* de Tintoretto; *David vencedor de Goliat* y *La conversión de San Pablo,* de Palma el Joven; el *Autorretrato,* de Durero (v. pág. 173).

De la misma proviene el *Noli me tangere,* de Correggio, mas no directamente, sino por regalo del espléndido duque de Medina de las Torres (v. pág. 114).

Al morir Rubens se vendieron las colecciones que había formado en su casa suntuosa de Amberes, ocasión en la que Felipe IV compró el *Autorretrato,* de Ticiano (v. pág. 280); *El prendimiento* (v. página 229) y *La coronación de espinas,* de Van Dyck; además de magníficos cuadros del propio Rubens: *Las tres Gracias; El jardín del amor*

(v. pág. 297); *Danza de aldeanos;* los retratos de *María de Médicis* (v. pág. 222), y del *Cardenal-Infante, ecuestre* (v. pág. 296); el *San Jorge* (v. pág. 297); *La cena en Emaús, Ninfas y sátiros.*

A la prudente gestión del cardenal-infante, hermano del rey y gobernador de Flandes, se debió el que se salvasen del fuego las pinturas de Rubens de desnudo, que la viuda del pintor, Elena Fourment, quiso destruir *pudoris causa.* El infante, por medio del padre jesuita que confesaba a la escrupulosa señora, la hizo desistir de la determinación, que hubiera sido funesta para el Arte pictórico.

Asimismo adquirió cuadros Felipe IV en la almoneda del marqués de Leganés, donde compró, por lo menos, el *San Huberto,* de Jan Brueghel, la *Salomé* y el *Federico Gonzaga,* de Ticiano, y el retrato de un *Jesuita,* de Tintoretto.

Como eran tan notorios los gustos del rey satisfaciánselos con regalos, como el que le hizo la reina Cristina de Suecia del *Adán* y de la *Eva,* de Durero (v. pág. 181); o el marqués de Leganés, de la *Inmaculada,* de Quellyn y del supuesto retrato de *Sebastián Veniero,* de Tintoretto; o el duque de Medina de las Torres, además de *La Virgen del pez* y del Correggio citados, y acaso del Giorgione, el *Tacto,* de Brueghel y la *Cacería de corzos,* de Paul de Vos; o el Almirante de Castilla, del *Martirio de San Mena,* de Veronés.

Hay que agregar referencia a los encargos hechos por Felipe IV, así los cinco paisajes que le pintó Claudio de Lorena, los doce grandes lienzos encargados a Roma de que habla Sandrart, el *Moisés salvado del Nilo,* de Orazio Gentileschi, etc.

No se han mencionado las magnas empresas pictóricas de su iniciativa: La decoración del salón de Reinos del Palacio del Buen Retiro, con los retratos ecuestres de Velázquez, los cuadros de las batallas ganadas a comienzos del reinado de Felipe IV, *Las lanzas* (v. página 209), Pereda, Maino, etc., y las *Fuerzas de Hércules,* de Zurbarán, y el adorno del palacete para descanso en las cacerías en el bosque de El Pardo, llamado la Torre de la Parada, para donde pintó Velázquez los *Cazadores,* el *Esopo* y el *Menipo,* y para donde la fantasía fecundísima de Rubens creó la más exuberante serie de pinturas inspirada en las *Metamorfosis,* de Ovidio, con mágicas facilidad y hermosura. Algunos de estos grandes cuadros fueron ejecutados por discípulos, que los firmaron.

Mientras el Buen Retiro permaneció alhajado hasta la terminación del Palacio nuevo, ocasión en que se trasladaron bastantes obras de arte para su adorno, de la Torre de la Parada se sacaron pinturas a poco de faltar Felipe IV. De la riqueza pictórica del Buen Retiro da idea que el pintor Napoli creía, más de un siglo después, que Felipe IV había pensado en convertirlo en museo.

Algunos datos curiosos acerca del sitio crítico del rey dan dos anécdotas muy repetidas: el nombre de "la Perla", que dio a la *Sagrada Familia*, de Rafael, comprada en la almoneda de Carlos I, y su juicio certero de que *La caída en el camino en el Calvario*, del mismo pintor, no era una de sus obras capitales.

Por lo referido paréceme que es merecedor de que se le consagre un estudio monográfico que pudiera titularse: *Felipe IV y la Pintura.*

Sucedióle Carlos II, enfermizo, sumiso a las más diversas influencias, porque para casi nada tenía energías. Pese a su pusilanimidad, mantuvo la heredada afición a la pintura. Fue como sus antepasados comprador de cuadros: en la almoneda que se hizo en 1687, al morir el marqués de Eliche, adquirió *La Sagrada Familia con Santa Ana*, de Rubens. *La Piedad*, de Crespi (v. pág. 185). *El Niño Jesús con San Juan*, de Jordaens y, sobre todo, los estupendos modelos pintados en tabla por Rubens, para la tapicería del *Triunfo de la Iglesia*, encargada por la archiduquesa-infanta Isabel Clara Eugenia con destino a las Descalzas Reales de Madrid (v. pág. 221).

Carlos II, cuyo reinado las historias pintan como ejemplo de la decadencia política externa, de la caída mayor de nuestro poderío y él, personalmente, como rigor de infortunios, presenta al que estudia su relación con las artes perfiles de protector de ellas.

Al morir dejaba una colección heredada y en algo acrecida por él, asombrosa por el número y por la calidad. La suma de cuadros obtenida en los inventarios sube a la cifra de 5.539; de ellos corresponden a El Escorial —en su mayor parte *Patronato* Real, mas no *Patrimonio* Real— 1.622. La sequedad de estos números ha de animarse al pensar cuántas de ellos eran, y son, obras maestras.

Otra faceta extraña en Carlos II, el Hechizado, es la de su claro concepto del deber de no consentir la menor merma en la herencia artística que había recibido. Quería la reina doña Mariana de Neoburg, su segunda mujer, regalar a su padre *La adoración de los Magos* —grandioso lienzo de Rubens, del Prado—; pareció empeño fútil a la intrigante señora, por cuanto no adornaba las habitaciones usadas a diario y estaba relegado al cuarto bajo, de verano, y al pedírselo al rey con insistencia, éste contestó con firmeza y agudeza no esperables: "Que no estaba colgado, sino que formaba parte de la decoración de la pieza y pertenecía, por consiguiente, al patrimonio de la Corona". La réplica causó tal efecto que, cuando surgieron nuevas apetencias de su Alteza electoral —título del suegro— por obtener *La disputa en el templo,* de Pablo Veronés, el emisario no se atrevió a formular de cara la desaprensiva pretensión, que se complicaba, confiando en la cortedad del monarca, con el intento de sustituirlo por un lienzo que había de pintar Lucas Jordan.

Tienen estas anécdotas la virtud de alumbrar esa veta de afición decidida por la pintura de nuestros Austrias, aun en personas en las que no cabría suponerla; y así no causa sorpresa que fuese el propio Carlos II quien en su testamento, antes comentado, subsanase olvidos del de su padre Felipe IV respecto a los bienes artísticos vinculados a la Corona.

El siglo XVIII.

El cambio de siglo coincide con el de dinastía —Carlos II muere en 1700—; viene al trono de España Felipe V, nieto de María Teresa, bisnieto por ella de Felipe IV y educado en la corte del Rey Sol; venido para afrancesar a España —"ya no hay Pirineos"—, sorprende verle esforzado en mantener la línea en pro de la pintura continuada por los Austrias en los dos siglos precedentes.

Desde luego que no fue sólo virtud suya; mucho hay que atribuir a su segunda mujer, Isabel Farnesio, educada en el ambiente italiano, pues había nacido en Parma.

Felipe V y su mujer forman sendas colecciones independientes, que marcan con signo diferente: el rey, con el aspa de Borgoña; la reina, con la flor de lis, que se ven en docenas de cuadros del Prado. Las dos colecciones alcanzan las cifras de 318 y 889 pinturas, respectivamente, y quedan vinculadas al Patrimonio real.

Gracias a ellas entraron en los palacios muchas obras de Teniers, de Snyders, de Fyt, de Valckenborch y de otros costumbristas, paisajistas y pintores de cacerías de Flandes; y vinieron algunas de las pocas pinturas holandesas que poseemos, los dos de Watteau y, lo que más admira, los primeros cuadros de Murillo ingresados por la estancia en Sevilla de los reyes en 1729-1730.

Obsérvese cómo una "política artística" certeramente dirigida, continuada sin cambios, produce, junto con una colección pictórica de cantidad y calidad prodigiosas, una escuela original cual la madrileña e incluso en parte la sevillana, indudablemente influidas por los cuadros de los Sitios Reales.

El cálculo, antes extractado, acerca del número de pinturas reunidas por los Austrias no es válido como base para el final del reinado de Felipe V, porque, en 1734, cuando celebraba la Nochebuena el pintor francés Jean Ranc en su morada, dependencia palatina, se inició el tremendo incendio que destruyó el Alcázar de Madrid y se quemaron 537 cuadros, según el cómputo más serio. Otros muchos se deterioraron.

En las adquisiciones de Felipe V y la reina Farnesio habrá de verse como una compensación, no buscada, a la pérdida enorme sufrida por el patrimonio real. El incendio es posterior a iniciarse la formación de las colecciones parejas de los monarcas; pero éstas sirvieron para cubrir muchos vacíos. Vacíos materiales, fáciles de advertir; vacíos artísticos como el antes mentado de pinturas de Murillo, remediado por la compra de veintisiete, de los que el Prado conserva dieciséis.

La costosísima empresa de construir el Palacio nuevo apenas frenó la tendencia de adquirir pinturas, viva en nuestros reyes: tanto en Fernando VI como en Carlos III: aunque, además, tuvieron que preocuparse del adorno de las bóvedas, por lo que llamaron a su Corte a Corrado Giaquinto, a G. B. Tiépolo y a A. R. Mengs.

La afición era tan fuerte en Carlos III que compró cuatro colecciones: las del marqués de la Ensenada, del marqués de los Llanos, de la duquesa del Arco y de don Juan Kelly.

La primera era selectísima (adquirida en 1768): con ella entraron joyas como el retrato ecuestre del *Conde-duque de Olivares,* de Velázquez; la *Artemisa,* de Rembrandt; la *Judith,* de Tintoretto; *Cristo con un ángel,* de Alonso Cano; siete de Murillo, etcétera.

Y, de nuevo, la constante histórica que con tales y tan firmes trazos se señala, se muestra en la juventud de Carlos IV. Tampoco brillaba por sus luces intelectuales; sus gustos parecían compartirse

Retrato del X conde de Westmorland (Cat. 3012 - Lienzo. 247 × 147). Sir Thomas Lawrence (1769-1830).

De cuerpo entero, apoyado en el pedestal de una columna en una galería abierta sobre el campo, con lejanías de cielo luminoso; viste el traje de par del Reino, con su manto rojo con armiño.

Retrato típico del género cortesano cultivado por la escuela inglesa con preferencia. Al intentar que el Prado tuviese una instalación de sus pinturas, era esencial contar con ejemplares como éste, y el anterior.

La escuela tuvo su origen en Van Dyck, y ya se dice al tratar del gran pintor, que residió y murió en Londres. Lawrence —parejo de nuestro don Vicente López— lleva a máxima altura la tendencia que pudiera denominarse del "retrato elegante".

El presonaje retratado nació en 1759 y murió en 1841. Hijo del IX conde y de Augusta Montagu llevó, desde 1774, los títulos de barón de Burghesh y de conde de Westmorland; casó, primero, con Sarah Ana Child, en 1782 y en 1800 con Jane Saunders. No parece que haya desempeñado cargos importantes en el Gobierno ni en la Corte .

El lienzo datará seguramente del tiempo de su primer matrimonio, que se celebró, según queda dicho, en 1782, obra juvenil, por consiguiente; pues el pintor no llegó a Londres hasta 1787 y, si bien no contaba más que dieiocho años, ya enviaba cuatro retratos a la exposición de la Academia. En ella era admitido, como asociado, en 1791 y ya como académico tres años después. Apenas cultivó más que el retrato.

Al finalizar el siglo XVIII Lawrence convive en el mundo del arte pictórico con Romney, Reynolds, J. Hoppner, Watson Gordon, Raeburn y Gainsborough, y dentro de esa aparente uniformidad de estilo que domina en la escuela inglesa de retratos del siglo XVIII, auténtica aportación del arte británico al universal, representa un ideal nuevo en el género.

Lawrence significa la transición entre el brillante poderío del retrato inglés de mediados del siglo XVIII hasta su decadencia en la primera mitad del XIX, época en que comienza a cultivarse la pintura religiosa y los cuadros de historia.

Los dos retratos de Lawrence ingresados en el Prado suponen una valiosa adquisición, no ya por el valor pictórico de los mismos, muy representativos de su obra —elegancia formal y economía de medios en la realización. En ella era admitido, como asociado, por enriquecer la parva representación del arte británico en nuestra primera pinacoteca.

Se dice que la orientación artística y el estilo de Lawrence se decidió al contemplar éste, en la Galería Doria-Pamphili, el maravilloso retrato del papa Inocencio X, pintado por Velázquez. Su estilo, lejos de estancarse, evolucionó constantemente, ganando en solidez y personalidad.

El aparatoso retrato del conde de Westmorland fue adquirido a Mr. C. Marshall Spink, de Londres, por el Patronato del Museo en 1958.

entre la caza, su violín y su taller de carpintería, en el que no lograba, sin embargo, emular los primores de su hermano, el infante don Antonio Pascual.

Pese a todo, desarrolla una actividad de coleccionista de pinturas

Ensayo casero de una comedia (Cat. 2991 - Lienzo. 38 × 51). Luis Paret (1746-1799).

En una sala, que adorna un cuadro de toros y alumbra una lámpara, se ven: a la izquierda, un caballero que, rodilla en el suelo, declara su amor a una joven sentada; visten ambos a la moda del siglo XVII; otros grupos, como el de la pareja de bailarines, al parecer, el de los que presencian la escena, la dama que al fondo arregla un vestido, dan ambiente a la animada composición fruto de madurez del artista en su género predilecto.

Paret, riguroso coetáneo de Goya, tuvo corta vida y, según se sabe desde hace poco tiempo, bastante agitada, porque estuvo desterrado en Puerto Rico. Estudió en la Academia de San Fernando, mas no llegó a pertenecer a ella como pintor, sino como secretario de Arquitectura. Por su maestro Charles de la Traverse pudo conocer, sobre todo mediante estampas, la pintura francesa del siglo XVIII en su principal y peculiar aspecto de los asuntos gratos y galantes. No poseía la sensibilidad refinada, enfermiza, de Watteau, ni su dominio del color; pero gustaba como él de los ricos y bellos trajes.

El lienzo fue adquirido por el Patronato del Museo en Londres en casa de William Hollsborough Ltd. en el mes de abril de 1956, en la cantidad de 750 libras.

Retrato de Mr. James Bourdieu (Cat. 2986 - Lienzo. 126 × 61). Sir Joshua Reynolds (1723-1792).

Figura visible desde media pierna. Está sentado, con un papel en la mano derecha, que acaba de leer; parece meditar dubitativo. Descansa los brazos en los del sillón tapizados; sobre el bufete, la escribanía con la pluma; detrás, cortina grande; casaca, coleto y calzón anaranjados; camisa con puños y corbatín de encaje.

No se tienen noticias de la vida del personaje retratado. El cuadro se pintó en 1765 y permaneció en propiedad de la familia hasta 1884, a lo más, pues consta que entonces pertenecía en Londres a Mrs. E. Wills; en 1930 era de Mr. W. Baid, en la misma capital.

El Prado poseía desde 1943 un buen retrato de Reynolds; primera compra —hecha al marqués de San Miguel— tendente a reunir una representación de la escuela inglesa del siglo XVII. El retrato de Mr. James Bourdieu, regalado en noviembre de 1954 por Mr. Bertram Newhouse, de Nueva York, ha venido a aumentar la sala, todavía modesta, instalada en el semisótano.

Florero (Cat. 2888 - Lienzo. 44 × 34). Francisco de Zurbarán (1598-1664).

La sensibilidad del pintor, que gustaba de manifestarse en la interpretación de las "cosas" tangibles más humildes, expresando el natural de telas, piezas de vajilla, etc., "enriquecía" a veces sus lienzos con alguna flor, y con alguna fruta, como si por su delicadeza y por su blandura le compensasen de la estameña áspera de los hábitos monacales y hasta de la tupida textura de los rasos. Los ejemplos de tales "naturalezas inanimadas" son raros en la producción del maestro.

Mayor rareza se observa en cuadros de flores solas, tanto que Paul Guinard, en su reciente monografía *Zurbarán et les peintres espagnols de la vie monastique* (1960), no registra más que el que aquí se publica y, todavía, con la restricción: "Obra de excelente calidad, pero de la cual la atribución a Zurbarán queda hipotética".

En libro anterior a la adquisición para el Museo de este *Florero* hube de escribir: "El gusto, el cariño de Zurbarán por cuanto pinta se tiñen de devoción... No es el de Zurbarán el goce sensual con que un Rubens, un Ticiano, eligen modelos y de ellos se adueñan; o el análisis minucioso que guía el lápiz y el pincel de Durero y de Holbein; o la furia, casi la saña, con que se apoderan de la forma y del espíritu un Rembrandt, o un Goya; es el moroso y sosegado contemplar reverente. De aquí, la emoción tranquila, quieta, intemporal, que causan sus pinturas. De aquí, también, que al pintar frutas, flores, cerámica, metales, les insufle un hábito como religioso, que elimina todo el aspecto frívolo y todo el sentido, un tanto materialista, que percibido, agudamente, por Lope de Vega le inspiraba aquella invectiva contra los...: "pintores viles" — que saben hacer árboles y flores, — mas no la majestad de las figuras". Zurbarán daba majestad al más humilde vaso de arcilla y a una azucena, o a una rosa; así la admirable que pintó medio vuelta en este lienzo".

Fue adquirido por el Ministerio de Educación Nacional a don Antonio Pons, en Málaga, en 1946.

73

que reúne en su bellísima Casa del Príncipe en El Escorial. Llega el inventario, publicado por el padre Julián Zarco, al número 421, porque comprende objetos de varia índole y porque algunas pinturas, en él registradas, fueron llevadas de otros palacios y pertenecían al fondo patrimonial. Sin embargo, al comprobar que compras de Carlos IV, siendo príncipe de Asturias, fueron el *Cardenal*, de Rafael; las dos tablas del Maestro de Flemalle; *El sacrificio de Isaac*, de Andrea del Sarto; el *Apostolado*, de Ribera, y tantos otros, su figura crece a nuestros ojos como uno de los que fomentaron el acervo pictórico que hoy representa el Prado.

Tan honda era la afición de Carlos IV que, destronado y viejo, en Roma formó otra colección.

Los siglos XIX y XX.

De lo que en otra parte queda reseñado deducirá el lector que las adquisiciones regias se interrumpen al abdicar Carlos IV, quien todavía en 1804, al visitar Valencia, compra importantes cuadros de Juan de Juanes, hoy en el Prado.

Las aficiones artísticas de Fernando VII toman el nuevo y trascendental aspecto de fundar el Museo del Prado y de desprenderse, para nutrirlo, de los cuadros gala de sus palacios.

De Isabel II ya se ha dicho qué enorme sacrificio pecuniario envolvió la absurda inclusión del Real Museo como parte de la herencia paterna. No dejó de hacer algunas adquisiciones con escasa fortuna, que, claro está, no acrecieron ya los fondos del Museo y pasaron en su mayoría a Aranjuez y a Riofrío.

En ella puede decirse que se corta la veta de la afición pictórica continuada en los reyes de España desde los días de Isabel I la Católica, si no desde su hermano, Enrique IV, y de su padre, Juan II: sucesión inverosímil a la que tanto debemos y a la que tanto debe el arte pictórico universal.

Pero si de una parte se suspenden las compras regias, el Museo pronto comienza a aumentar sus fondos artísticos intensamente por otras vías.

Se aludió a la incorporación del Museo Nacional de Pintura y Escultura, más generalmente conocido por Museo de la Trinidad, en el año 1870.

El número de cuadros era grande, muy superior a su mérito. La mayor parte se constituían por pinturas españolas que venían a rellenar huecos con obras del siglo xv y, sobre todo, del xvi; constituían la masa general cuadros españoles e italianos del siglo xvii, que el Prado depositó en centros oficiales: Consejo de Estado, Universidades, el Tribunal Supremo, algunas iglesias, etc. También varios museos de provincias se nutrieron con estos fondos. Hiciéronse los depósitos con criterio muy distinto del actual, por ello ha habido que recabar en casos la devolución de pinturas necesarias para mostrar en el Prado el desarrollo de diversos estilos.

Si se quisiese dar idea de estos fondos habría que mencionar: *La adoración de los Magos,* de Maino (v. pág. 289); el *San Sebastián,* de Carreño; *La apoteosis de San Agustín,* de Claudio Coello; el *Cristo,* de Goya; la tabla con el retrato de los *Reyes Católicos* (v. pág. 274); *La fuente de la Gracia,* de estilo eyckiano (v. pág. 275); el gran tríptico de *La Redención,* de Van der Weyden; *La transfiguración,* soberbia copia del taller de Rafael, varios lienzos religiosos de El Greco; *La Pasión,* de G. D. Tiépolo, etcétera.

Sobre el tesoro allegado por los reyes de España, robustecido por la aportación del Museo de la Trinidad, en realidad significan poco los donativos, los legados y las compras del siglo xix y del xx. Tierra la española de grandes fundaciones religiosas y benéficas en los siglos pasados no ha gozado, modernamente, de un número proporcionado de mecenas.

Si se examina la lista de favorecedores del Prado inserta en sus *Catálogos* últimos, se observa que no excede de setenta y dos nombres. Son estas generosidades muy desiguales en cuantía y calidad.

Reúnen ambas condiciones los acrecentamientos debidos a muy pocos:

En 1881, el barón Emile d'Erlanger regaló las catorce estupendas pinturas murales de la Quinta de Goya, las mal llamadas "pinturas negras". En 1904, don Ramón de Errazu legó una sala de cuadros de Fortuny, Baudry, Ricardo Madrazo, Meissonier y Rico, aceptada a pesar de que su contenido cae fuera de los límites cronológicos del Prado, que no debe rebasar la mitad del siglo XIX. En 1915, don Pablo Bosch legó una notable colección de tablas y lienzos, en particular con admirables pinturas flamencas de los siglos XV y XVI; de ella proceden los cuadros reproducidos en las páginas 88 y 143. En 1930, don Pedro Fernández-Durán legó el contenido de tres magníficas salas con pinturas, como las reproducidas en las páginas 267 y 304, tapices, muebles y dibujos.

Con menor número de piezas son, asimismo, valiosísimos los legados y los regalos del duque de San Fernando (1899), *El Cristo,* de Velázquez; de la duquesa de Villahermosa, los retratos de *Don Diego del Corral y de su mujer,* también de Velázquez, y, por no seguir la enumeración, daré sólo los nombres de los más espléndidos protectores del Prado: don Luis de Errazu (1925); conde de Niebla (1926); conde de Cartagena (1930); duque de Tarifa (1934); don Francisco Cambó (1940); conde de Muguiro (1946), y condesa de Mora (1959). De toda esta lista —ampliable según el criterio de quien la haga— resalta que, seguramente, ha sido Goya el pintor que más aumentó en número de obras gracias a las donaciones y los legados, pero que los pintores flamencos y los italianos incrementaron también su representación en el Prado.

En cambio, los pintores holandeses e ingleses apenas han ingresado en sus salas, demostrándose que las colecciones regias marcaron en cierto modo el rumbo de las colecciones privadas: en unas y otras se advierten las mismas abundancias y los mismos vacíos. Por eso, el donativo por don Francisco Cambó de cuadros italianos de los siglos XIV y XV, adquiridos, precisamente, con el designio de colmar vacíos inveterados en las colecciones españolas, merece encomiarse como ejemplar.

Resta decir algo respecto a adquisiciones por compra.

La primera importante fue la de los retratos de Goya y su mujer, acompañados, nada menos, que con 186 dibujos, venta hecha en 1866 por don Román de la Huerta y base de la fabulosa colección que hoy alcanza el número de 483 en cantidad y calidad incomparables, incluso con la suma de todos los demás esparcidos por el mundo. En 1886 se compraron a Carderera 262; se llegó a la suma referida con los reversos de varias hojas, los nueve del legado de Fernández-Durán y, finalmente, con el *Autorretrato* a pluma adquirido por el Patronato en 1945.

Aunque sea incidentalmente, se añadirá que el Museo posee una buena colección de dibujos italianos y españoles del fondo antiguo, otra serie numerosísima de Francisco Bayeu y su taller y más de 3000 de varia importancia, legados por el mismo Fernández-Durán, todavía no estudiados debidamente.

Desde que se creó el Patronato ha procurado el incremento de las compras que, especialmente, colmen algunos vacíos de las viejas colecciones. Vino a colaborar a esta política el legado del conde de Cartagena; con sus rentas y la protección del Ministerio de Instrucción Pública y Bellas Artes, ahora denominado de Educación Nacional, y con los recursos propios se ha podido aumentar la representación de tablas españolas de los siglos xv y xvi. También se ha acrecido el número de cuadros de El Greco, en siete (v. págs. 159 y 161). Como de Zurbarán, artista hoy en la cima de su fama, se poseían obras escasas, se han aumentado en cinco (v. págs. 213 y 291).

En estos últimos años, el deseo de conseguir algunos cuadros holandeses, porque esta escuela, sin duda a causa de razones históricas, no fue buscada por nuestros reyes, ha dado por fruto la entrada en el Prado de un retrato de Scorel (v. pág. 287); un *Autorretrato,* de Rembrandt; el *Filósofo,* de Salomón Koninck; paisajes de Hobbema y de Van Goyen, dos retratos de Mierevel y la *Adoración de los pastores,* de J. G. Cuyp. Con ellos, la representación de la admirable escuela ha ganado en entidad.

Mucha menor representación se ha conseguido, hasta ahora, de la escuela inglesa. Merece señalarse que ningún cuadro inglés se encuentra en los inventarios palatinos.

Dos retratos entraron con los legados de don Luis de Errazu y del duque de Arcos, respectivamente, de mérito relativo; se compraron dos de Reynolds y tres de Lawrence, uno de Rommey, dos de Shee; ejemplares de Gaingsborough y de Lawrence fueron regalados por el neoyorquino Mr. B. Newhouse y uno de Watson por el señor Arpe.

Aparte de estas adquisiciones realizadas según un plan que ha habido que atemperar a las circunstancias y a las oportunidades, no se han desdeñado las que se presentaron; así, por ejemplo, se han comprado tres bellísimos cuadritos de Paret, pintor español coetáneo riguroso de Goya y cultivador de un género extraño dentro de nuestra pintura, el de escenas cortesanas y de sociedad (v. págs. 72 y 302). Por motivo de oportunidad se han adquirido también otras obras del interés del *Retrato de caballero,* firmado por J. B. Maino; *La cacería del Tabladillo,* de J. B. del Mazo; *San Agustín,* de Mateo Cerezo; el *San Jerónimo* y un *Venerable* de su Orden, de Valdés Leal; sin olvidar al sobrio e impresionante retrato de *Sor Jerónima de la Fuente,* firmado por Velázquez en 1620, que dentro del Museo es, con la *Adoración de los Magos* de 1619 y con dos retratos masculinos, la representación de la época sevillana del gran pintor.

Al arribar al cabo del largo recorrido, el lector estará persuadido de cómo el Prado refleja muchas características españolas por ser producto secular de una actividad sin cortes y sobre la que se han cruzado múltiples influencias. Si, según queda dicho, el Prado es lo opuesto a un museo improvisado, también dista mucho de los organizados científicamente, con abundantes recursos al servicio de una técnica. Formóse el Prado como resultado de una tarea constante, venturosa, apasionada y sin regateos ni trámites dilatorios, llevada a término por una decena de monarcas dotados de afición pictórica y buen gusto hereditarios. Dispusieron de medios económicos y también de artistas excelentes consejeros. Al agotarse en la dinastía borbónica aquella rara herencia de la sensibilidad artística, ya el Museo pertenecía a la nación y, para gloria de directores, de gobernantes y del Patronato, pudo continuarse honrosamente su perfeccionamiento y su enriquecimiento.

LAMINAS

FRA ANGÉLICO (GIOVANNI DA FIESOLE), 1387-1455

La Anunciación

Escuela florentina

Número 15

Tabla. 1,94 × 1,94

Es un verdadero retablo constituido por la tabla principal y cinco tablitas en el banco, o "predella": *Nacimiento y desposorios de la Virgen, La Visitación, La adoración de los Magos, La Purificación* (que se reproduce en la página 274) y *El tránsito de la Virgen.*

La parte izquierda de la tabla principal, que comprende lo que queda fuera del pórtico brunelleschiano donde la Virgen recibe el mensaje transmitido por el Arcángel Gabriel con la humilde habitación al fondo, pinta un deleitoso vergel con plantas y flores variadas, en cuya minuciosidad el artista ha encontrado complacencia. A medida que se aleja del borde inferior, la flora alcanza mayor desarrollo, pintándose un limonero cargado de fruto y una palmera. Adán y Eva, vestidos —sobre todo ella—, salen llorosos del Edén, expulsados, dígase que sin violencia extremada, por un ángel; encima de la línea de los montes no lejanos, el rompimiento de nubes y el haz de rayos luminosos producido por el descenso del Espíritu Santo.

Si en la parte derecha el Beato Angélico da una versión más del tema repetido y que él mismo hubo de reiterar siempre, según el esquema inocográfico usual, en esta parte de la tabla trata, originalmente, el tema de la caída nuestros primeros padres. Su fervor devoto rechaza, la versión del desnudo que Masaccio había dado en la capilla Brancacci del Carmen de Florencia y viste a Adán y a Eva con fidelidad al texto bíblico: "Luego hizo Dios al hombre y su mujer unas túnicas de piel y los vistió. Cuando hubo arrojado al hombre puso al oriente del Edén querubines con espada de hoja fulgurante para guardar el camino del árbol de la Vida".

Fue pintada esta tabla para Santo Domingo de Fiesole, entre 1430 y 1445; necesitados los dominicos de un campanario, la vendieron en 1611 al duque Mario Farnesio para el duque de Lerma. Vino al Prado en 16 de julio de 1861 desde el monasterio de las Descalzas Reales. En 1943 se resanó y restauró, magistralmente, en el taller del museo, limpiándose con sorprendente resultado, en particular la parte izquierda.

Las bellísimas escenas de la "predella" fueron atribuidas a Zanobi Strozzi por el doctor A. L. Mayer; la suposición no ha hecho camino y sus calidades son propias de las obras del maestro.

ANDREA MANTEGNA, 1431-1506

EL TRÁNSITO DE LA VIRGEN   *Escuela italiana*

Número 248   Tabla. 0,54 × 0,42

Yace María en el lecho mortuorio rodeada por once Apóstoles con velas encendidas; falta Tomás, que evangelizaba en la India distante y llegó tarde, según el apócrifo llamado *Narración del pseudo-Arimatea,* seguido en el desarrollo del paisaje.

Ocurre éste en una pieza de arquitectura clásica, apilastrada, cuya verticalidad subraya la de los dos hacheros, y teniendo por fondo un gran vano abierto sobre el paisaje mantuano del puente de San Giorgio entre los lagos "mezzo" e "inferiore".

Las figuras, vigorosamente dibujadas y plantadas, tienen volumen colaborando al efecto de espacio buscado con el pavimento de mármol y la lejanía del fondo. La luz gris plateada, añade una nota poética y a la vez real, inusitada en la pintura de la época. La arquitectura y la verdad en la observación del paisaje son rasgos auténticamente renacentistas, habiendo renunciado en este cuadro Mantegna a los adornos, relieves y medallones clásicos, en que era tan erudito y en los que tanto se complacía.

Según Roberto Longhi, completaría esta obra la tablita *Cristo rodeado de ángeles recoge el alma de la Virgen,* antes de la colección Vendeghini de Ferrara y hoy en la del abogado Baldi; habría que suponer, quizá, que el conjunto se hubiese formado por dos piezas, originariamente. Para Berenson, nuestra tabla es de fecha próxima a las del Museo degli Uffizi, de Florencia, que señala hacia 1463; en cambio, otros críticos le asignan la de 1492 o poco más.

Reforzaría la opinión de Longhi si —como creía Venturi— es de Mantegna y no de Andrea del Castagno el cartón para el mosaico *La muerte de la Virgen* de la Capilla Mascoli de San Marcos de Venecia, que tienen en la parte superior a Cristo con la figura del alma de María en los brazos, dentro de la mandorla, como en la tablita en cuestión. La relación entre el cuadro del Prado y la composición del mosaico es muy estrecha, aunque en éste la arquitectura esté profusamente decorada y por el vano se ven casas convencionales y no el paisaje extraordinario que avalora nuestro cuadro.

Fue adquirido para Felipe IV en la almoneda hecha a la muerte de Carlos I de Inglaterra; en el dorso ostenta la tabla su marca impresa a fuego.

SANDRO BOTTICELLI, 1444-1510

HISTORIA DE NASTAGIO DEGLI HONESTI   *Escuela florentina*

Número 2838   Tabla. 1,38 × 0,83

Para una boda que enlazó las familias Bini y Pucci, florentinas, pintó Botticelli cuatro tablas: las tres que, por donativo de don Francisco Cambó, posee el Prado desde 1941 y la cuarta, que pertenece a la colección Watney, de Londres. Dúdase si el encargo se hizo en 1483 cuando se casaron Giannozzo Pucci y Lucrecia Bini, o en 1487, fecha del matrimonio de Pier Francesco di Giovanni Pucci con Lucrecia Bini. En 1568 califica Vasari la serie de "pittura molto vaga e bella".

Traducen las cuatro tablas con líneas y colores, precisas aquéllas y vigorosos y brillantes éstos, una "novella" del *Decameron,* de Boccaccio.

En esta primera composición —*Retiro y visión*—, lograda, como la segunda, utilizando para elementos constructivos y separadores de las escenas los tronco de los árboles, se ve al fondo, a la izquierda, la tienda de campaña en la que se ha aislado, en la "pineta" de Rávena, el protagonista, para llorar el infortunio de haber sido desdeñado por una doncella a quien ama. Acompáñanle en su soledad algunos amigos. En primer término, a la izquierda, vésele paseando su tristeza y, a seguida, sorprendido por extrañísima visión. Se apresta a defender a la mujer desnuda que corre perseguida por un jinete y flanqueada por dos perros que la muerden. El fondo, de mar entre montes cónicos y con embarcaciones.

La aparición es la condena de unos amantes suicidas que todos los viernes del año salen del Infierno corriendo la tierra; cuando la perseguida es alcanzada sufre el tormento de ser abierta y de que sus entrañas sean arrojadas a los perros, mas al punto se alza y prosigue la persecución. Véanse las otras dos escenas de la *Historia* reproducidas en la página 274.

MAESTRO DE ARGUIS

Anónimo aragonés de la primera mitad del siglo XV

GÁRGANO HERIDO

(Paisaje de la LEYENDA DE SAN MIGUEL)   *Escuela aragonesa*

Número 1332   Tabla. 0,79 × 0,80

Restos de un retablo constituidos por la "predella" y dos calles con tres cuerpos; el alto, de tablas incompletas. Presentan rasgos originalísimos dentro de la pintura española de la primera mitad del siglo XV. Procede del pueblo aragonés de Arguis (Huesca). Ya en esta obra apuntan caracteres muy españoles; uno de ellos el que podría llamarse "expresivismo"; otro, el afán por conmover, al menos, por evitar lo insulso y las partes inertes en el campo pictórico, los elementos innecesarios o inoperantes.

La leyenda de las apariciones del arcángel San Miguel inspiró miniaturas, relieves y pinturas medievales. Uno de sus pasajes es el de Gárgano, que al disparar su arco contra un toro huido de su rebaño resulta herido por el rebote de la flecha, que se le clava en un ojo; tanto la figura del señor como la del pastor están llenas de vivacidad y de carácter; sin que deje de advertirse la nota caricaturesca. El toro está dibujado con simplicidad. Los cortes del terreno, los cerros con árboles, entre los que se eleva una iglesia que querrá significar la de Mont-de-Saint Michel, dentro de su convencionalismo, se subordinan al relato hagiográfico tan explícitamente narrado.

No menos importante es la tabla en que figura *La derrota del Anticristo,* cuando cae al pretender ascender al Cielo.

Las demás figuras: *El juicio de las almas,* pesando el Arcángel sus méritos en la balanza; *La lucha con los ángeles rebeldes,* y *La aparición de San Miguel al Papa,* en Roma sobre el castillo por eso llamado de Sant Angelo. El banco lo llenan cuatro santos y dos santas con letreros.

Ch. R. Post fecha esta obra hacia 1440.

Hace muchos años señalé cómo la tendencia humorística patente en estas tablas convierte a su anónimo autor en "antepasado" de El Bosco. El estilo "internacional" adquiere en este pintor caracteres peculiares de raro vigor.

El retablo entró en el Museo Arqueológico Nacional en 1869-1871 y pasó al del Prado en 1920.

FERNANDO GALLEGO, trabajaba entre 1466-1507

<small>CRISTO ENTRONIZADO, BENDICIENDO</small>   *Escuela castellana*

Número 2647   Lienzo. 1,69 × 1,32

Desde mediados del siglo XV en Castilla se deja sentir la influencia flamenca. Antes, llegó la francesa, mediante miniaturas y pintores, que culmina en maestre Nicolás Francés, que en 1434 trabajaba en León. En 1458 consta que estaba en Castilla la Nueva maestre Inglés, pintor y miniaturista; fuera cual fuese su patria, artísticamente era de Flandes. Aunque no haya espacio para explanar las circunstancias de esta influencia, debe recordarse que en 1428-1429 Jan van Eyck visitó Portugal, Granada y Compostela.

En 1466-67 pinta en Zamora un artista notable, de técnica emparentada directamente con la de Flandes, que firma FERNANDUS GALECUS, luego, conocido como vecino de Salamanca, y cuyas fechas se siguen hasta 1507. Pintor, a veces duro que frecuentemente pintaba de memoria los paños angulosos; siempre enérgico y apasionado. En algunas obras —por ejemplo en *La Crucifixión,* recientemente adquirida por el Prado— se advierten huellas de influencias alemanas sobre el pintor.

La tabla reproducida se dio a conocer en la Exposition de la Toison d'Or de Brujas (1907); era propiedad del marchante F. Kleinberger y se exhibió como obra de Jan van Eyck. Fue entonces adquirida por el coleccionista madrileño don Pablo Bosch, quien la legó al Prado. Se pintó para el centro del retablo de San Lorenzo de Toro, de donde salió en el siglo XVIII.

El aire solemne y la cuidada ejecución de la tabla, junto con al desconocimiento de la pintura primitiva española, ocasionaron la ambiciosa atribución.

La figura de Cristo está rodeada por el tetramorfos simbólico de los Evangelistas y sobre los brazo del trono gótico se ven las estatuillas de la Iglesia y de la Sinagoga.

Tipos y color emparejan claramente con los de Gallego, aunque algo difieran de los de *La Piedad,* firmada, que antes se reproduce (v. pág. 48).

Se ha visto cómo el conocimiento superficial de la pintura española del siglo XV pudo inducir a error grave de atribución al exhibirse la tabla de Fernando Gallego, por su fidelidad a las enseñanzas y prácticas flamencas. El caso no podría repetirse respecto a la que ahora se comenta, y no ciertamente porque su autor ignorase dichas prácticas. Pero su acento es tan fuertemente español que cualquier duda se desvanecería al punto.

Si caracteres tan definidos no fuesen suficientes, la tabla está documentada: se encargó para la iglesia de Santo Domingo de Silos, de Daroca, en 5 de septiembre de 1474; el 17 de septiembre de 1477 estaba pintada.

El Santo, abad benedictino, sentado en su cátedra o trono abacial, con capa pluvial de imaginería, mitra y báculo, es una figura grandiosa, sólidamente construida.

Adornan el trono —como en la tabla de Gallego antes reproducida la Iglesia y la Sinagoga—, la siete figuras de las tres Virtudes teologales y de las cuatro cardinales; ¿esculturas policromadas realistícamente?, ¿seres vivientes? Los elementos de talla decorativa son gótico-floridos.

Bermejo era cordobés y en el arte de su tiempo está en la misma línea y en análogo nivel a Jaime Huguet, catalán, del que reproducimos *Un profeta* en la página 275, y a Pedro Berruguete, castellano. Sus fechas documentales extremas son las de 1474 y 1495. Para don Elías Tormo es el más recio de los pintores primitivos españoles, que el mismo maestro denominaba "de la veta brava" de nuestro arte.

La obra entró en el Museo Arqueológico Nacional con ocasión del viaje por Aragón de don Paulino Suvirán en 1869-1870 y pasó al Prado en 1920.

MAESTRO DE FLEMALLE (¿ROBERT CAMPIN?), ¿1380?-1444

A la izquierda: San Juan Bautista y fray Enrique de Werl

A la derecha: Santa Bárbara — *Escuela flamenca*

Números 1513 y 1514 — Tabla. 1,01 × 0,47 cada una

Portezuelas o alas, de un tríptico de cuyo centro no hay noticia. La cara exterior parece haber estado pintada, pues en la de *Santa Bárbara* se perciben rastros de dos aureolas, aunque la radiografía no ha proporcionado ninguna precisión.

Son tablas de importancia capital para el estudio de los primitivos flamencos de la primera mitad del siglo xv, por pintar interiores. A la vez, lo son dentro de la agrupación de pinturas puesta a nombre del Maestro de Flemalle, no solamente por su calidad excepcional, sino por ser las únicas fechadas. En el borde inferior de la primera de ellas se lee, en hexámetros latinos: "En el año 1438 pinté este retrato de Maestre Enrique de Werl, doctor de Colonia".

Es personaje acerca del cual se conocen algunos datos biográficos; era, como muestra el hábito, franciscano y como teólogo asistió al Concilio de Basilea en 1441; comentador de la Sagrada Escritura, también escribió glosas a las *Sentencias* de Pedro Lombardo. El 1.º de diciembre de 1435 estaba en Tournai, acaso como visitador de su Orden. Murió en Osnabruck en 1461.

Maestre Enrique, arrodillado, ora ante la escena representada en la tabla central —quizá una *Crucifixión*—; por la ventana se divisa un paisaje luminoso, con figurillas. En el tabique incompleto, que divide la habitación, cuelga un espejo convexo —como en el cuadro de Van Eyck *Arnolfini y su mujer,* de la National Gallery de Londres, y en otras pinturas flamencas— para lograr la impresión cabal del espacio.

Santa Bárbara, sentada, de espaldas a la chimenea encendida, lee en un libro. Se identifica gracias a la torre en construcción —su atributo iconográfico— que se ve en el paisaje. Asombra la perfección del dibujo, el brillo y frescura del colorido y la verdad con que están pintados vidrios y metales.

Fueron adquiridas estas tablas por Carlos IV, cuando era príncipe de Asturias.

MAESTRO DE FLEMALLE (¿ROBERT CAMPIN?), ¿1380?-1444

LOS DESPOSORIOS DE LA VIRGEN

Escuela flamenca

Número 1887

Tabla. 0,77 × 0,88

En la tabla, cual en otras primitivas de Flandes, se representan como simultáneas dos escenas sucesivas. Al fondo, en el Templo de Jerusalén ora el Sumo Sacerdote ante el altar, mientras, decepcionados, lo abandonan los pretendientes de la Virgen María, entre ellos San José, calvo, ocultando la vara florida, a la que voló la paloma, según las diferentes versiones tradicionales que arrancan del apócrifo llamado *Protoevangelio de Santiago el Mayor*. Según el texto, San José tiene que vencer los escrúpulos de considerarse viejo y viudo con hijos para aceptar los desposorios. Celébranse éstos en el pórtico gótico todavía en construcción, por lo que sus puertas se abren al campo.

El espíritu narrativo medieval gustaba de la suma de escenas.

La tabla, cuyo exterior está pintado con claroscuro, o "grisaille", aparentando esculturas de *Santiago el Mayor* y *Santa Clara de Asís*, sería la mitad de un díptico que, probablemente, tendría *La Anunciación* en la otra.

Considérase esta notabilísima pintura como una de las primeras del artista anónimo que se ha bautizado con el nombre del Maestro de Flemalle por los cuadros que en el Staedel Institut de Francfort proceden del castillo así llamado. La importancia del artista crece moderadamente, porque se considera anterior a Van Eyck, por lo que su estudio le precede en el libro de Jacques Lassaigne: *La peinture flamande: Le siècle de Van Eyck*.

Con el conjunto de Francfort nuestra tabla arguye en contra de la hipótesis, esforzadamente defendida hace algunos años, de que el anónimo maestro era el mismo Rogier van der Weyden en su juventud. Hoy se vuelve a la antigua creencia de que más bien deberá identificarse con Robert Campin de Tournai, nacido antes de 1380 y muerto el 26 de abril de 1444.

La robustez de las formas, el realismo implacable que no disimula la fealdad del modelo, el primor en pintar telas y adornos, caracteriza este arte vigoroso e ingenuo que, saliendo de la iluminación de los manuscritos y de la escultura popular, abre una época de florecimiento pictórico.

ROGIER VAN DER WEYDEN, ¿1399?-1464

EL DESCENDIMIENTO DE LA CRUZ   *Escuela flamenca*

Número 2825   Tabla. 2,20 × 2,62

Es una de las pinturas principales de la Escuela flamenca en el siglo xv y, sin disputa, la más grandiosa de su autor.

Los personajes, pintados con realismo impresionante, simulan esculturas, a juzgar porque destacan sobre el fondo del nicho de un retablo dorado, del que se ven adornos de traza gótica.

La composición, maravillosamente equilibrada, se ordena verticalmente por el astil de la Cruz, por los grupos de tres personajes a derecha e izquierda y por las diagonales paralelas de los cuerpos de Cristo y de su madre. A los pies de San Juan, la calavera —que se suponía de Adán— que dio nombre al Gólgota. Pero estos datos iconográficos nada dicen de la perfección del dibujo de rostros y manos y del color en que esplenden violetas, azules, verdes, rojos y el ropón labrado con oro de José de Arimatea, que sostiene las piernas del Señor; todavía dicen menos del sentimiento de cuantos rodean a Cristo muerto y a María desmayada.

Según todas las probabilidades se pintó hacia 1435 y, desde luego, con destino a la capilla de los ballesteros de Nuestra Señora de las Victorias de la cofradía de Lovaina. Como Felipe II había perdido la esperanza de comprar la tabla, encargó a su pintor Michel Coxcie la copia, que ordenó al duque de Alba pagase en 16 de noviembre de 1564, encontrándola muy bien acabada, y que le había satisfecho mucho. Esta magnífica copia está hoy en El Escorial. Pasados los años, habiendo logrado doña María de Austria, reina viuda de Hungría y hermana de Carlos V, adquirir el original, vino a España, con otros cuadros.

En la página 276 se reproducen otras dos tablas del museo: la bellísima *Piedad* y *La Virgen con el Niño* ingresadas, aquélla por compra del Patronato en 1925 y ésta por legado de don Pedro Fernández-Durán en 1930.

HANS MEMLING, hacia 1433-1494

LA ADORACIÓN DE LOS MAGOS   *Escuela flamenca*

Número 1557   Tabla. 0,95 × 1,45

Es el centro de un tríptico en cuyas puertas figuran *La Natividad* y
La Purificación. Ésta puede verse reproducida en la página 276 del libro.
La adoración se sitúa en un edificio abierto y medio ruinoso que, al
fondo, termina en galería semicircular, por cuyos huecos se ve la calle
con paseantes. Dos de los Magos están arrodillados y el más anciano va
a besar los pies del Niño, mientras el negro entra por la derecha; personas del séquito en las puertas y por la ventana se asoma un joven que
parece retrato del donador (?). Los Magos visten muy lujosamente y los
rostros de los dos blancos se han relacionado con príncipes de la Casa
de Borgoña; el más anciano retratará a Carlos el Temerario.

Nuestro tríptico aventaja en sus tres tablas el mucho menor (0,49 de
alto) del Hospital de San Juan de Brujas, pintado para Jan Floreins y
firmado en 1479. En opinión de Friedländer, el del Prado será anterior,
de hacia 1470. Es de colorido más vigoroso.

Perteneció esta espléndida obra a Carlos V. Estaba en el altar de la capilla del castillo de Ateca, cerca de Aranjuez, y entró en el Prado en 1847.

Las notas distintivas del artista —dibujo apretado, colorido brillantí-
simo, genio narrativo— están patentes en este conjunto. El pintor que per-
sonifica la tercera generación de la pintura de Flandes prefería el cultivo
de los pasajes tiernos de la historia evangélica, a los dramáticos, predilec-
tos de Van der Weyden. La mayor parte de su vida transcurrió en la
apacible ciudad de Brujas. Había nacido en Aschaffenbourg.

JERÓNIMO BOSCH "EL BOSCO"
(HIERONYMUS VAN AEKEN), 1453-1516

EL JARDÍN DE LAS DELICIAS   *Escuela flamenca*

Número 2823   Tabla. 2,20 × 1,95

El gran tríptico cerrado figura, pintado de claroscuro, la etapa de la Creación, cuando aparecen sobre la Tierra los primeros vegetales. Abierto, y con colores, en el ala izquierda, la creación de Eva, el pecado original y la expulsión del Paraíso, poblado con flora y fauna fantásticas, suscitadas por los relatos llegados de América recién descubierta; en la izquierda, *El infierno,* concebido con tal fantasía que asombra y que ha servido de inspiración a la tendencia pictórica "suprarrealista".

La tabla central tiene por asunto el que suele darse por título al tríptico: pudiera aclararse diciendo que se trata de la sensualidad y de lo efímero de sus goces. El cronista de la Orden de San Jerónimo e historiador de El Escorial, fray José de Sigüenza (1599), varón muy conocedor en pintura y escriturario, emplea largo espacio al explicar esta tabla, al elogiarla y al ponderar su moralidad. Cuando fue entregada en el monasterio de San Lorenzo el Real el 8 de julio de 1593 se registraba como "una pintura... de *La variedad del mundo,* cifrada en diversos disparates de Hieronimo Bosco, que llaman del madroño", y el citado monje jerónimo: "La tabla de *la gloria vana y breve gusto de la fresa, o madroño".* Estudios del norteamericano Nicolás Calas (1954) han servido para señalar la inscripción de esta obra en los comentarios de San Agustín a los Salmos y de San Gregorio sobre el libro de Job. La contemplación atenta de la lámina excusa la compleja descripción.

Para Fraenger, el tríptico responderá a influjos de la secta del Libre Espíritu, adamítica, extendida por los Países Bajos y con la que El Bosco se contaminaría.

En el documento de la entrega del tríptico al monasterio escurialense se consigna que se compró en la almoneda del prior don Fernando, lo era de Orden de San Juan, e hijo natural del Gran Duque de Alba, apellidábase Álvarez de Toledo y murió en 1591. Como otro caballero del tiempo, don Felipe de Guevara fue coleccionista de pinturas de El Bosco. Es curiosa esta afición de nobles españoles por un estilo que entonces era ya anticuado; la moda contagió a Felipe II que sabía conciliarla con su gusto por las obras de Ticiano, entonces "nuevas".

Desde 1935 el tríptico está en el Museo a donde se llevó para ser restaurado y, en 1939, quedó en él, por decisión del Gobierno.

(HIERONYMUS VAN AEKEN), 1453-1516

EL CARRO DE HENO   *Escuela flamenca*

Número 2052   Tabla central del tríptico. 1,35 × 1,00

El tríptico cerrado muestra al viandante —acaso un buhonero— con los peligros del camino de la vida. Abierto, portezuela izquierda, *El paraíso terrenal* con *La caída de los ángeles rebeldes, La creación de Eva, La tentación de la serpiente* y la *Expulsión del paraíso;* portezuela derecha, *El infierno;* tabla central, *El carro de heno.*

Fue el padre fray José de Sigüenza, gran prosista y sabio historiador de El Escorial quien, en el siglo XVI, adujo para explicar el asunto el texto de Isaías: "Toda carne es heno y toda su gloria como flor del campo" y el salmo 102 de David que en versión moderna dice: "Semejantes son los días del hombre; gloria como flor de campo; rócele apenas una ventolina y no subsiste ya". Pese a la autoridad de la observación, el tema de la pintura parece que queda impreciso. Tampoco estimo mucho más esclarecedor el refrán flamenco aportado por H. Wehle: "El mundo es un montón de heno del cual tira cada uno cuanto puede".

Encima del montón de heno que va en el carro y como a la sombra de un árbol se ve a una pareja, tres músicos y un peregrino (?) entre un ángel orante y un demonio que hace sonar un cuerno. Como cortejo del carro cabalgan el Papa, el Emperador, el Rey, el Duque, etc., los estados medievales. Pugnan por subir al carro gentes diversas, que caen y son alcanzadas por las ruedas. Todavía resta por señalar que entre nubes aparece el Redentor y que el borde inferior está lleno, extrañamente, por seis grupos que tal vez representen los pecados mortales.

Debajo del más extraño de todos los grupos, el de las monjas, está la firma del pintor. Según Ch. de Tolnai su fecha será entre 1485 y 1490; para Delevoy es el primero de los trípticos que pintó El Bosco.

Se ha pensado en que la firma podría no ser autógrafa, porque don Felipe de Guevara —que murió en 1560—, hijo de don Diego, coleccionista de cuadros del pintor y autor de los *Comentarios de la Pintura,* escribió, refiriéndose a discípulos de El Bosco: "uno... por devoción de su maestro, o por acreditar sus obras, inscribió en sus pinturas el nombre de Bosch y no el suyo". Por cierto, que, a continuación, cita como una de estas obras falsamente firmadas la *Mesa de los Pecados Mortales* (Número 2822 del Prado), admitida hoy como original del maestro; véase reproducida en la página 276.

JERÓNIMO BOSCH "EL BOSCO"
(HIERONYMUS VAN AEKEN), 1453-1516

EL CARRO DE HENO *Escuela flamenca*
A la izquierda: EL PARAÍSO TERRENAL
A la derecha: EL INFIERNO

Número 2052 Tablas. 1,35 × 0,45 cada una

El Paraíso, campo escalonado con mar al fondo, y el Cielo sirven de escenario al relato del *Génesis* (I-3). En lo alto, el Creador; los ángeles rebeldes, en forma de insectos, caen del Cielo. Delante de una extraña roca, la creación de Eva; en término más cercano, la tentación bajo el árbol de la Ciencia del Bien y del Mal; el demonio, en figura de serpiente con medio cuerpo y brazos de mujer; en primer plano, la expulsión de Adán y Eva del Paraíso por un ángel, que blande una espada al salir por la puerta abierta en la roca, encima de la cual hay dos frutas.

La observación de que no se ve fauna ni flora fantásticas, cuales las de otras pinturas de El Bosco, influidas por las noticias del Nuevo Mundo, refuerzan la suposición de que el tríptico es temprano, anterior a 1492.

El ala derecha, *El infierno,* describe, con fertilidad imaginativa, los suplicios de los condenados que, desnudos y llevados por los diablos, algunos con formas de animales que simbolizan los vicios que motivaron las penas a que van a estar sometidos, penetran por la puerta de una torre inacabada: al fondo, resplandor de llamas.

Según Delevoy: "Tres partes componen la trilogía. Esconden el descubrimiento del tema: nacimiento, irradiación y castigo del mal". Y el mismo crítico piensa en la relación íntima que con el desarrollo temático debe de tener la figura de tamaño mucho mayor representada en el exterior de las alas del tríptico: *El hijo pródigo* —como en la tabla de Boymans— Van Beuningen Museum, de Rotterdam: ¿Un peregrino errante por el campo? El hombre *in genere,* en fin... "presa de una cruel alternativa", sin saber qué camino escoger.

JERÓNIMO BOSCH "EL BOSCO"
(HIERONYMUS VAN AEKEN), 1453-1516
LA ADORACIÓN DE LOS MAGOS   *Escuela flamenca*

Número 2048   Tabla. 1,38 × 0,72

Tabla central del tríptico cuyas portezuelas retratan a los donadores de la familia Scheyven (según Justi), o Brouckhorts y Bosschuyse (según Paul Lafond), con sus santos patronos *San Pedro* y *Santa Inés* y con San José, que seca los pañales en la de la izquierda y paisaje variado, con episodios, en la de la derecha. El tríptico cerrado representa *La misa de San Gregorio* en altar que, como retablo, tiene de claroscuro o "grisaille" la *Pasión del Señor* rodeando a la aparición de "Christus patiens" al Papa.

La adoración, con anécdotas y tipos grotescos, se verifica bajo el tejadillo deteriorado exterior a una choza rústica, curioseada por aldeanos. Los Magos visten trajes ricos, sobre todo el que está en segundo término y el negro con su paje. Fondo de paisaje, con cabalgadas y, a lo lejos, una Belén fantástica por lo desmesurado y espectacular de las arquitecturas. El hombre semidesnudo, con casco y encadenado, que sale por la puerta se interpreta, según Delevoy, como el leproso del Talmud babilónico, el Mesías judaico, o el Anticristo.

Está firmada con letras de oro: *Iheronimus bosch.*

Según Friedländer, se pintó hacia 1495 y es la obra más primorosa del pintor.

Para Delevoy, en su reciente monografía (*Bosch.* Skira. 1960), es "uno de los más sutiles poemas pictóricos que se pueden apreciar en el arte occidental".

Con acierto comenta la novedad de que el paisaje ocupe las cuatro quintas partes de la extensión del tríptico, extendiéndose por las tres tablas, "desenvolvimiento panorámico muy nuevo, anunciador de los paisajes cósmicos de Patinir".

Se pintó, al parecer, para la capilla de la Virgen, en la catedral de Bois-le-Duc y por haberse llevado al Ayuntamiento se libró de la revuelta iconoclasta de 1566; meses después estaba en Bruselas, en casa de Jean de Casembroot, donde fue confiscada en 14 de abril de 1547. Perteneció a Felipe II y fue entregado en El Escorial del 12 al 16 de abril de 1574.

RAFAEL (RAFAELLO SANZIO DA URBINO), 1483-1520

LA SAGRADA FAMILIA DEL CORDERO   *Escuela romana*

Número 296   Tabla. 0,29 × 0,21

Verdadera joya, por su primorosa factura, de la estancia en Florencia de Rafael. Está firmada con letras de oro en la cenefa del corpiño de la Virgen: *Raphael Urbinae MDVII*.

La composición y el fondo de paisaje, en particular sus lejanías, denotan el conocimiento de las obras de Leonardo, y el San José recuerda a figuras de fra Bartolommeo della Porta. Pero la expresión seductora de María y del Niño Jesús constituyen el sello personalísimo de Rafael, así como la delicadeza del colorido.

Una versión con diversas variantes, en especial en el árbol de la derecha, poseía lord Lee of Fareham, en Richmond. Estaba fechada en 1504; data inverosímil, en opinión de O. Fischel, que, en cambio, encuentra correspondiente a la evolución del estilo del pintor la que ostenta nuestro original. Don Pedro de Madrazo en su *Catálogo descriptivo e histórico del Museo del Prado* (1872) menciona copias antiguas de este cuadro en Florencia, Milán, Pavía y París.

No hay noticias de la historia de esta obra; sólo se dice que, por estimarla en mucho, se guardaba en el camarín de El Escorial, por más que ello no conste en los textos viejos; es afirmación de don José de Madrazo. Fue traída del Monasterio a Madrid en 1837.

La ingente personalidad artística de Rafael divide la historia de la Pintura. "Varón de muchas almas", como otros magnos del Renacimiento, fue arquitecto y escultor, aunque estas artes, en particular la primera, restáronle tiempo para pintar; mermado también por la confianza que en él tuvieron los papas Julio II y León X, que le hicieron, en realidad, director de cuantas empresas constructoras y decorativas se realizaban entonces en el Vaticano. Esta absorción explica que hubiese de recurrir a discípulos para la ejecución de las obras que dibujaba y componía, y que sólo de las juveniles, y de pocas posteriores, pueda asegurarse que son, en todo, de su mano. Ejemplos de pinturas en las que intervinieron discípulos son los hermosos cuadros del Museo: *La Visitación* y la *Caída en el camino del Calvario*, llamado "El pasmo de Sicilia", que se reproducen en la página 277.

RAFAEL (RAFAELLO SANZIO DA URBINO), 1483-1520

EL CARDENAL   *Escuela romana*

Número 299   Tabla. 0,79 × 0,61

Esta media figura sin fondo, de carácter y nombre enigmáticos, es una de las más intensas creaciones pictóricas de todos los tiempos. Para muchos es el "Cardenal del Renacimiento" por antonomasia. El misterio de su identificación, el número de los purpurados que se ha supuesto retrataba con indicios a veces fundado, contribuye a conferirle este valor representativo.

Varón joven, a lo sumo en la treintena, de constitución ósea corpulenta, pero de pocas carnes; aquilino su perfil, hondas las cuencas orbitarias que limitan cejas cuidadosamente afiladas, labios y comisuras que parecen revelar conocimiento y acaso hastío de las pasiones.

El pintor ha realizado en esta tabla una creación extraordinaria por la sobriedad de medios y por la hondura con que ha calado en la vida interior de su modelo.

Obra tan excepcional ha suscitado, de antiguo, la curiosidad por averiguar quién sea el retratado; la lista de candidatos es muy larga y cada uno de ellos ha tenido boga efímera: Dovizzi di Bibbiena, Julio de Médicis, Silvio Passerini, Antonio Ciocchi del Monte, Luigi de Aragón, el suizo Mattia Schinners... Quizás el que durante más tiempo se sostuvo dando nombre al cuadro fue Alidosio; después, Bibbiena.

Hace pocos años, W. von Suida ha mostrado las semejanzas, innegables, entre el retratado por Rafael en el Prado con el que aparece en un cuadro de la Colección Kress entre otros dignatarios eclesiásticos, obra de Sebastián del Piombo; encima de la mesa hay una campanilla en la que se lee el nombre de Bandinello Sauri, cardenal de vida inquieta, que figura en *La disputa del Sacramento*, que estuvo preso en 1517 y murió al año siguiente.

Por la técnica se clasifica hacia 1517, tiempo de la máxima maestría de Rafael, cuando en las obras de composición le ayudaban sus discípulos, mientras retratos y cuadros íntimos eran por completo de su mano.

Debió de entrar en la colección regia comprado por Carlos IV siendo príncipe de Asturias. En 1818 estaba en el Palacio de Aranjuez, como retrato del cardenal Granvela por Antonio Moro (¡!), según letrero puesto al dorso de la tabla, de donde pasó al Museo.

ANDREA DEL SARTO (ANDREA DA ANGIOLO), 1486-1531

La hermosa composición, apiramidada, según las normas renacentistas romanas, desarrolla un tema de significado inseguro. No parece que se trate de una sencilla "sacra conversazione", que agrupe santos escogidos por motivo de devoción de quien hubiere encomendado el cuadro. Hay, probablemente, un asunto concreto: el Niño Jesús se dirige, con fuerte impulso, hacia el ángel sentado que tiene un libro abierto.

No suele darse en la iconografía angélica la presencia de un libro; quizá la explicación resida en el hecho siguiente: la tendencia criticista que se extiende a principios del siglo XVI, y que había de contribuir a la Reforma, puso en tela de juicio la autenticidad del *Libro de Tobías*. Sabida es la intervención del Arcángel Rafael como compañero del viaje a Oriente del joven Tobías y como médico, que con sus remedios consiguió que recobrase la vista. No aparece en el cuadro el pez que tanto juega en la historia del viaje. Pero la deducción de que estemos ante una pintura en la que se proclame la autenticidad del Libro de Tobías resulta lógica; quedaría así explicado tanto que el ángel tuviese abierto el volumen, como que Jesús, al ir a abrazarle, expresase su corroboración, y explicaría la presencia de la otra figura, que será la de Tobías. Al fondo, cerros pelados y un poblado pequeño; hacia él se dirigen una mujer, con manto, que lleva de la mano a un niño, episodio que no parece relacionable con el tema indicado de esta pintura.

Está firmada en el escabel de la Virgen con dos *AA*, la segunda invertida, iniciales de Andrea da Angiolo, o d'Agnolo, nombre y apellido de Sarto.

La magnífica tabla, de tonalidad brillante y colorido gayo, fue adquirida por el embajador don Alonso de Cárdenas para Felipe IV en la almoneda hecha después de la decapitación de Carlos I de Inglaterra, en la cantidad de 250 libras.

En El Escorial, donde se menciona por el padre Francisco de los Santos en su *Descripción* de 1657, se supone que la figura de la izquierda sea San Juan, mas, de representar a un Evangelista, habría que pensar en San Mateo, que precisamente tiene por símbolo a un ángel.

El cuadro entró en el Museo en 1819, cuando se abrió al público.

CORREGGIO (ANTONIO ALLEGRI), 1493-1534

NOLI ME TANGERE   *Escuela parmesiana*

Número 111   Tabla pasada a lienzo en el siglo XIX. 1,30 × 1,03

Es cuadro cuya historia puede seguirse mediante textos, demostración clara de aprecio secular.

Se pintaría hacia 1525 y puede ser el que Vasari elogia cuando estaba en poder de Arcolani en Bolonia. Perteneció a Carlos I de Inglaterra. El duque de Medina de las Torres lo regaló a Felipe IV. En 1657 lo describe con entusiasmo fray Francisco de los Santos, en El Escorial: "Cristo resucitado en el huerto, muy hermoso; la Magdalena, bellísima, arrodillada a sus pies con tiernísimo afecto; el país, en que se finge un amanecer, tan natural, que engaña a la vista y la alegría igualmente; es de lindo gusto".

El cuadro es ejemplo de la factura del Correggio, magistral en saber dar la impresión táctil en las carnes y en las telas y en dominar la luz con un sentido ignorado por casi todos los pintores italianos de su tiempo.

La delicadeza, casi podría decirse la sutileza en la manera de tratar el tema, parece que anticipa modalidades que dos siglos después habían de estar vigentes; la sensibilidad, en profecía seiscentista y hasta setecentista de Correggio —patente en el cuadro— ha sido advertida por muchos críticos.

Apenas precisa añadir que la pintura representa el pasaje del Evangelio de San Juan (20-II) cuando María Magdalena encuentra al Señor resucitado y cree que es el hortelano hasta que reconoce su voz; al ir a tocarle, el Señor le dice: "No me toques".

El cuadro pasó al Museo del Prado en abril de 1839.

El pintor murió a los cuarenta y un años, malográndose uno de los más extraordinarios temperamentos de la historia del arte. Cuando se ensueña la posibilidad de que un Masaccio, un Rafael, un Correggio, un Watteau, hubiesen alcanzado larga vida, asombra el pensar cuánto más acelerado habría sido el progreso pictórico; pero los juegos con la "historia probable" son tan divertidos como ineficaces.

115

CORREGGIO (ANTONIO ALLEGRI), 1493-1534

LA VIRGEN, EL NIÑO JESÚS Y SAN JUAN   *Escuela parmesiana*

Número 112   Tabla. 0,48 × 0,37

Añade el gran pintor de la Emilia al arte del siglo XVI en su primera mitad sentido y acentos de novedad sorprendente. Bernard Berenson, el gran crítico, escribe con paradoja muy gráfica que Correggio, como temperamento, "pertenece al siglo XVIII francés". Su gracia, su pericia en dar a las carnes una apariencia que invita a palparlas; sus vaticinios del barroquismo hacen de su personalidad algo extemporáneo. Precisamente en el delicioso cuadrito reproducido se advierte este sentido de profundidad, de concavidad, tan grato al arte del siglo XVII.

La luz intensa, que contrasta con la oscuridad de la cueva, y que mediante la abertura del fondo prolonga el espacio sombrío, ilumina la sencilla y tierna escena, construida geométricamente según pedía el gusto de la época.

La sensibilidad exquisita, que en pinturas de otros temas es, propiamente, sensualidad, se hace patente en la expresión de los rostros y en el cuerpo escultural de María, probablemente, dibujado antes desnudo, como acostumbraba Rafael.

La fecha del cuadro la fija Selwyn Brinton hacia 1515-17.

Su asunto no es, propiamente, un pasaje evangélico, sino uno de tantos episodios verosímiles de la infancia de Jesús, que los pintores renacentistas gustaron de representar, para conseguir variedad en el tema, repetidísimo a la sazón, de la Madonna, o Virgen con el Niño.

Contrasta con la sencillez y ternura de nuestra composición la fuerza, e incluso la violencia, de los grandes frescos del autor de Parma, la ciudad donde transcurrió su vida, donde su genio se manifiesta deslumbrador.

No figura en las colecciones regias hasta la que reunió en La Granja la reina Isabel Farnesio en 1746.

GIORGIONE (GIORGIO BARBARELLI DA CASTELFRANCO), 1478-1510

LA VIRGEN, CON EL NIÑO JESÚS ENTRE
SAN ANTONIO DE PADUA Y SAN ROQUE

Escuela veneciana

Número 288

Lienzo. 0,92 × 1,33

Pintura característica del género "sacra conversazione", tan cultivado en Venecia. La Virgen, entronizada, tiene sobre su rodilla izquierda al Niño desnudo; en pie, a la derecha, el Santo médico *San Roque de Montpellier* —a juzgar por el muslo y pierna desnudos—, vestido, según uso, con capa de peregrino, y con bordón; a la izquierda, el Santo franciscano, con el libro y su distintivo, las azucenas, en el suelo.

Por la disposición y el equilibrio de las figuras el cuadro recuerda la obra maestra del pintor, la "pala" de Castelfranco; aunque ambas pinturas difieran en la factura; superior la de la "pala" y, probablemente, no terminada la del Prado. En eso estriba, acaso, parte de su encanto, por la vaguedad levísima en los contornos y en la atmósfera que todo lo envuelve, acrecentando la poesía, que es don específico en las obras de Giorgione.

Fue enviado el cuadro por el duque de Medina de las Torres a Felipe IV hacia 1650.

El lienzo se encontraba ya en 1657 en la sacristía de El Escorial, y Fray Francisco de los Santos, en su *Descripción breve,* lo pone a nombre del Bordonón (¡!), "lapsus calami" o, mejor, error personal, sin duda, por Giorgione, a quien en Castilla solían nombrar "Jorjón". Se comprueba la equivocación, porque respecto de otro cuadro dice que es del "Bordonón maestro del gran Ticiano". Del error del monje jerónimo salieron las atribuciones a Pordenone y a Ticiano joven. Fue Morelli quien lo devolvió a su verdadero autor.

El cuadro no se pudo enviar a la *Mostra de Giorgione e i giorgioneschi* celebrada en Venecia en 1955, pero su ficha, prematuramente, se incluyó en su catálogo, redactado por Pietro Zampetti que escribe: "Anche nel caso di questa famosa bellissima pala, il problema Giorgione-Ticiano giovane divide il mondo degli studiosi. É una opera nella quale lo spirito del Maestro di Castelfranco aleggia in modo molto evidente. C'e in essa l'incantesimo di Giorgione, piu che il senso drammatico di Ticiano".

El cuadro fue traído de El Escorial al Museo el 13 de abril de 1839.

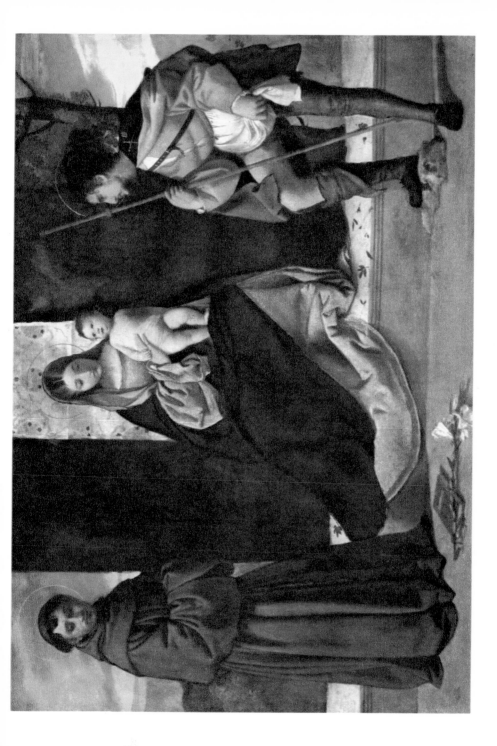

TICIANO (TIZIANO VECELLIO), ¿1477?-1576

RETRATO DEL EMPERADOR CARLOS V   *Escuela espdñola*

Número 409   Lienzo. 1,92 × 1,11

Es el primer retrato de Carlos V ejecutado por el pintor que, a partir
de él, puede decirse que fue su único retratista. La pasión del Emperador
por las Artes —Arquitectura, Escultura, Pintura y Música—, y más especialmente por tapicerías y cuadros, le llevó a adquirir pinturas flamencas
antiguas —Memling y El Bosco— y venecianas, en su época la técnica
moderna por excelencia.

Aparte de lo que Carlos V llevaba en la sangre por herencia de su
abuela materna Isabel la Católica y por.la de sus antepasados los duques
de Borgoña, es segura la influencia que en el desarrollo de su gusto artístico hubo de tener su tía y educadora en Flandes, Margarita de Austria,
protectora de pintores, tapiceros y literatos.

Carlos I puede considerarse como el precursor del coleccionismo real
en España. Su abuelo el emperador Maximiliano, con un sentido humanista, es un decidido promotor y protector de todas las empresas artísticas que
se suceden sin interrupción en su reinado, para lo que agrupa los mejores
artistas —Durero, Cranach, Baldung, Altdorfer, Burgkmair—, que las llevan a la práctica con entusiasmo por medio de la pintura, de la xilografía
y de la imprenta. Un grabado de la época representa al monarca en el estudio de un pintor, dialogando acerca de un cuadro colocado en el caballete. El propio Emperador dice en uno de sus escritos autobiográficos:
"Cuando el hombre muere no deja más que sus obras... No será, pues,
dinero peor el que invierta ·en asegurar su recuerdo".

Numerosos son los retratos de diferentes artistas que se conservan del
Emperador, pero fueron los de Ticiano los más importantes, tanto por su
número como por su calidad. Tal vez sean los mejores los conservados en
el Prado, entre los que se encuentra el aquí reproducido. Viste el César el
traje con que fue coronado como rey de Lombardía. Aunque pintado,
como hemos dicho, entre 1532 y 1533, no se envió, al parecer, desde Venecia hasta casi dos años más tarde. Poco después concede Carlos V a
Ticiano el título de conde del Palacio Laterano y Consejero Áulico. Una
de las mejores obras del artista veneciano es *El Emperador Carlos V a
caballo, en Mühlberg* (v. pág. 279); lo representa con la armadura que se
conserva en la Armería Real de Madrid, tocado con un casco de airón
rojo. Montado en un caballo español, galopa hacia el Elba. Fue pintado
en Augsburgo en 1548. Otro gran retrato del Emperador es el que lo representa sentado, que se conserva en la Pinacoteca de Munich (1548).

120

TICIANO (TIZIANO VECELLIO), ¿1477?-1576

SALOMÉ CON LA CABEZA DE SAN JUAN BAUTISTA   *Escuela veneciana*

Número 428   Lienzo. 0,87 × 0,80

Más de una ocasión sirvió la hermosa Lavinia de modelo en cuadros de su padre. Había nacido antes de agosto de 1530 y casó con Sarcinelli en 19 de junio de 1555.

Gustó Ticiano de retratarla llevando una bandeja en alto, actitud gallarda que hacía lucir su apostura, bien portadora de la cabeza del Bautista, en este lienzo; o, como Pomona, llevando frutas en el cuadro, muy semejante, del Museo de Dahlen, en Berlín. Pasados varios años, cuando había perdido juventud y belleza al engrosar, la retrató con un gran abanico de plumas, en el lienzo de Dresde, hacia 1565. En los rasgos fisonómicos de otras mujeres ticianescas se adivinan más o menos cambiados los de Lavinia.

La fecha del lienzo del Prado no es segura, a menos que pueda aplicársele la carta escrita al pintor desde Módena el 26 de abril de 1549. Las características de la ejecución y la edad de Lavinia inducen a situarlo entre los cuadros pintados hacia 1550. La misma fecha se da al lienzo de Berlín que se pintó para Niccolo Grasso.

La conservación de este cuadro del Prado no es buena; por más que todavía el colorido sea muy bello.

Entró en las colecciones regias adquirido, al parecer, en la almoneda del marqués de Leganés, el año 1665; en el siguiente se registra en el Alcázar de Madrid.

Conviene hacer referencia a otras nueve obras de Ticiano reproducidas, una de ellas en color —*Carlos V*— y las restantes en negro (v. páginas 279 y 280), a saber: *Adán y Eva,* que se relacionan con los cuadros de desnudo mencionados en la página precedente, el espléndido *Retrato ecuestre del emperador Carlos V* en la batalla de Mühlberg; el de *Felipe II* de cuerpo entero, armado, que se pintó para enviar a Londres cuando la boda con María Tudor; el del mismo rey de más de media figura; el *Autorretrato; Cristo con Simón Cireneo; Ecce-Homo* y *La Trinidad,* o *La Gloria.*

TICIANO (TIZIANO VECELLIO), ¿1477?-1576

DÁNAE RECIBE LA LLUVIA DE ORO   *Escuela veneciana*

Número 425   Lienzo. 1,29 × 1,80

El pintor, en carta de 3 de marzo de 1553, ofrece tres "poesías" —así llamaba, con bello nombre, a las fábulas mitológicas que pintaba—, una de las cuales era, sin disputa, la presente. Esto ocurría en los días en que Felipe II se disponía a marchar a Inglaterra para contraer segundas nupcias con la poco seductora María Tudor; contaba el novio, hecho rey de Nápoles para que llevase una corona que sumar a la de Inglaterra, veintiséis años.

Es de los más hermosos desnudos de la pintura veneciana, pródiga en ellos. El colorido, en tonos calientes, es en verdad opulento y el juego de sombras del fondo y la áurea lluvia realzan la luminosidad del cuerpo de Dánae.

Viose Ticiano muy bien recompensado por Felipe II, por lo que le prometió terminar el cuadro de *Venus y Adonis* (núm. 422 del Prado). Un dato más para desvanecer la leyenda del rey tenebroso y ascético de por vida.

El Museo de Nápoles guarda un buen ejemplar de la misma composición, probablemente anterior al nuestro y menos hermoso. Miguel Ángel censuró la composición; es explicable que no comprendiese un arte tan distante de su credo pictórico. El éxito del lienzo se acredita por las réplicas guardadas en el Ermitage, Viena y colección Spaulding.

Cuando a fines del siglo XVIII estos desnudos, pagados y gustados por el severo Felipe II, despertaban prevenciones pudibundas bajo Carlos III, corrieron grave riesgo, del que salieron indemnes, siendo llevados a la Academia de Bellas Artes, donde permanecieron fuera de la vista del público hasta 1827, en que *Dánae* se reunió en el Prado con otros desnudos en la sala reservada, no abierta al público hasta después de muerto Fernando VII.

Otra *Dánae* poseyeron los reyes de España en el Palacio del Buen Retiro que compró en Italia Velázquez en 1630-31 que, con "el equipaje del rey José", pasó a lord Wellington y se conserva en Aspley House.

Fue Ticiano uno de los artistas del pincel más completos; no había en su tiempo género pictórico que no cultivase.

La riquísima colección de cuadros de Ticiano del Museo —que alcanza el número de treinta y seis— cuenta en el libro presente con cuatro láminas en color y once en negro en las páginas 279 y 280.

TICIANO (TIZIANO VECELLIO), ¿1477?-1576

LA BACANAL

Escuela veneciana

Número 418

Lienzo. 1,75 × 1,23

En ameno bosquete a la orilla del mar, con veleros, hombres y mujeres beben y se divierten; en primer término, a la derecha, una mujer desnuda y dormida, que se supone es Ariadna; en una pequeña altura, un fauno dormido; también en el centro, dos mujeres leen, o cantan, el refrán francés: *Qui boit et no reboit-il ne sait que boire soit;* la de la derecha parece retrata a Violante, a juzgar por las violetas que ostenta, amante de Ticiano. El autor ha extremado las galas más seductoras del color, y la belleza ha encarnado en figuras que, a su atractivo, suman un ritmo en las actitudes por el que la pintura se acerca al arte de la danza.

Buscó el tema el artista en pasajes de Catulo, según Beroqui, más que en los *Libros de pinturas,* de Filóstrato.

Pintó Ticiano este cuadro, como compañero de *La ofrenda a la diosa de los amores,* del Prado, y de *Baco y Ariadna,* de la National Gallery de Londres, para con *La fiesta de los dioses,* de Bellini, de la National Gallery de Washington, pintada en 1514, decorar el "studio" de Alfonso I de Este en Ferrara, por los años de 1518-19.

Mario Boschini, en *La carta de navegar pittoresco* (Venecia, 1660), cuenta en verso cómo *Bacanal* y *Ofrenda* fueron regalados por el cardenal Ludovico Ludovisi a Felipe IV, mediante el virrey de Nápoles, conde de Monterrey. Ciertas dificultades cronológicas hacían pensar a Beroqui que el regalo de las admirables pinturas deberíalo Felipe IV a otro Ludovisi, llamado Niccolo, hermano del cardenal citado, que fue virrey de Aragón. Aunque, desde luego, fuesen entregadas al rey por el conde de Monterrey antes del 5 de agosto de 1658, como participaba sir Arthur Hopton a lord Cottington.

La *Ariadna* es uno de los más hermosos desnudos del autor. Posee, además, el Prado, la *Venus* que detiene a Adonis y las dos con el organista —una con un amorcillo y otra con un perro (v. pág. 279)—. Parece innecesario rectificar la creencia extendida hace años, y que ya apenas se repite, de que el músico retrata a Felipe II (¡!); compárese con el de la lámina de la página 146 y la suposición se desvanecerá.

TINTORETTO (JACOPO ROBUSTI), 1518-1594

JOSÉ Y LA MUJER DE PUTIFAR   *Escuela veneciana*

Número 395   Lienzo. 0,54 × 1,17

Esta pintura formó con los números 386, 388, 389, 394 y 396 la escocia o friso de un techo, cuyo centro, o fondo, era el número 393, que compró para Felipe IV, en un palacio veneciano que se ignora, Velázquez cuando su segunda estancia en Italia. Lo refiere Palomino en texto publicado en 1714. El inventario del Alcázar de Madrid de 1686 registra el techo instalado en la alcoba de la primera pieza de las bóvedas llamadas de Ticiano; se salvaron estos lienzos en el incendio de 1734.

Los demás asuntos son: *Susana y los viejos,* que se reproduce en la página 280; *Moisés salvado de las aguas, Judith y Holofernes, José y la mujer de Putifar, Ester ante Asuero,* y *La reina de Saba ante Salomón.*

La afirmación de Palomino destruye la hipótesis formulada sobre el texto de Ridolfi, que menciona "otto sogetti di poesie", pintados por Tintoretto para Felipe II, nunca identificados. El número, además, difiere del de la serie conservada. Nótese, al caso, que la denominación de "poesías" se daba, desde Ticiano, a los asuntos mitológicos, no a los bíblicos.

Que el fondo del techo era de forma ovalada se lee en el tratadista-pintor español, y ovalado es el lienzo *La purificación de las vírgenes madianitas* (núm. 393 del Prado).

El lugar para donde se pintaron estos lienzos impuso su rara perspectiva, requerida para una inclinación de 45 grados. La factura no es en todos igual; en el lienzo de la castidad de José, el empaste del color es continuo y más uniforme que, por ejemplo, en el cuadro de *Moisés.*

En los dos lienzos más largos: *Ester ante Asuero* y *La reina de Saba ante Salomón,* el ritmo admirable de la composición parece alcanzar límites más musicales que pictóricos. El conjunto del techo, cubriendo una pieza de dimensiones reducidas del Alcázar madrileño, debía de ser bellísimo.

El de *Judith y Holofernes* desarrolla un tema que agradaba al artista, a juzgar porque lo trata, asimismo, en otros dos lienzos del Museo reproducidos en la página 281.

Según los críticos que han estudiado a Tintoretto, esta colección es obra juvenil.

TINTORETTO (JACOPO ROBUSTI), 1518-1594

LA DAMA QUE DESCUBRE EL SENO   *Escuela veneciana*

Número 382   Lienzo. 0,61 × 0,55

El tercer gran pintor veneciano en el siglo XVI se distingue de sus dos predecesores en la fama —bien que Veronés naciese dos lustros después—, por su genio turbulento, cultivador de composiciones complejas y movidas, por el movimiento trepidante. Vese en este lienzo, que poseía un sentido refinadísimo de la belleza y una rara sensibilidad para el color de matices claros y suaves, cual ningún otro artista de su siglo. Este retrato con malva y gris perla dominantes, resulta excepcional. Repróchase a la pintura clásica el predominio del claroscuro, el abuso de contrastes mediante el empleo de las sombras intensas. Enfrente de tal concepto esplende este ejemplo de pintura clara, que se juzgaría moderna.

La semejanza fisonómica con otros retratos femeninos del Prado ha inducido a algunos estudiosos a considerarlo retrato de Marieta Tintoretto, la hija del pintor, y pintora ella misma (1560-1590). A mi ver, la semejanza es sólo de época y peinado; a diario se comprueba la relación estrecha de parecido entre los retratos en una época, entre las personas de una clase y de una tierra. El marqués de Villa-Urrutia, escritor especializado en la historia anecdótica y maliciosa de los siglos XVI al XIX, suponía que el hermoso lienzo retrata a la famosa cortesana de Venecia Verónica Franco.

Tintoretto fue pintor que gustaba a Felipe II, que, no pudiendo conseguir que viniese a trabajar en El Escorial, le encargó un gran lienzo de *La adoración de los pastores* para su retablo mayor, mas no se colocó en él para mostrarlo en otro lugar del Monasterio en que se pudiese gozar mejor. Pero ninguno de los cuadros suyos del Prado tiene origen en las colecciones del Rey Prudente; varios llegaron a España traídos por Velázquez y por coleccionistas del siglo XVII y otros no ingresaron en los Palacios reales hasta el siglo XVIII.

Tintoretto influyó decisivamente sobre El Greco y, sin duda, también sobre Velázquez. Véase la reproducción en la página 280 del *Episodio de una batalla entre turcos y cristianos,* donde se advierten proporciones y colorido que semejan a los del primero.

VERONÉS (PAOLO CALIARI), ¿1528?-1588

MOISÉS SALVADO POR LA HIJA DEL FARAÓN   *Escuela veneciana*

Número 502   Lienzo. 0,50 × 0,43

La índole del genio del pintor llevábale al cultivo de las grandes composiciones, en lienzos proporcionados a su empeño; por eso, aunque el tamaño del enorme cuadro, esplendoroso, del Louvre *La cena en casa de Leví* no se repita, en sus obras abundan las pinturas de desarrollo superior al normal y son relativamente raras las de dimensiones reducidas. Mínimas son las medidas de este primorosísimo cuadrito, en el que Veronés acertó a compendiar las mejores calidades de su arte. Es una verdadera joya.

La pequeñez de la obra no perjudica a su mérito, antes lo avalora, porque el artista ha sabido mostrar todas sus dotes de colorista, de aficionado a las arquitecturas hermosas y de especialista en pintar telas riquísimas.

La hija del faraón, sus damas y el bufón visten a la moda veneciana del tiempo con anacronismo acostumbrado; de igual modo que las construcciones de mármol son renacentistas. Árboles y celajes contribuyen al bellísimo conjunto.

Para Hadeln se pintó entre 1560 y 1570; Fiocco supone al lienzo de hacia el año 1575.

Es probable que sea la pintura mencionada por Ridolfi en casa de los marqueses de la Torre, en Venecia.

El asunto fue repetido por el autor: Museos de l'Ermitage, Lyon y Dijon.

Figura el lienzo en el inventario de 1666 del Alcázar de Madrid.

Otros lienzos de Veronés posee el Prado, de los que se reproducen cuatro en la página 282: *La familia de Caín errante*, pintura de técnica avanzada; *El joven entre la virtud y el vicio; Susana y los viejos*, obras juveniles ambas; y la grandiosa composición *Jesús discutiendo con los doctores en el Templo*, fechada en 1547, por tanto, producción temprana también.

VENUS Y ADONIS   *Escuela veneciana*

Número 482   Lienzo. 2,12 × 1,91

Adonis reposa sobre el regazo de Venus, mientras un perro pugna por marchar a la casa contendo por Cupido, que, como la diosa, prevé la muerte del cazador. Fondo con árboles.

Es una obra, además de muy bella, de importancia en el desenvolvimiento de la pintura. No recuerdo que se haya reparado en una novedad que, acaso, aparece por primera vez en este lienzo: en la frente, en el codo derecho y en el costado de Venus se observan unos círculos de luz, formados por los rayos del sol que atraviesan el ramaje. Este conocimiento no se da en la pintura renacentista ni, probablemente, se encuentre de nuevo antes del *Paisaje de la Villa Médici con la estatua de Ariadna*, de Velázquez. La luz, salvo contadísimas excepciones —queda citado el ejemplo de Mantegna—, para los pintores italianos era recurso más convencional que estudiado en la realidad en cuantos preceden a M. A. da Caravaggio. Y aun para éste el manejo de la luz se daba dentro de ámbitos cerrados. La salida al exterior todavía tardó en ensayarse. Júzguese, por lo dicho, del valor de este intento de Veronés.

La importancia de la pintura no fue ignorada por Velázquez, quien la compró en Italia para Felipe IV.

Ha de repararse en que no sólo es admirable en cuanto a cuadro de desnudo, sino que, como se esperaría de Veronés, son soberbias las telas, así la que cubre la parte inferior del cuerpo de la diosa, como la que viste Adonis, de una entonación sorprendente por su brillantez y matiz "sui generis".

Según Fiocco, datará de hacia 1580. Puede ser el cuadro que celebra Raffaello Borghini en *Il riposo*, en 1584.

En el Alcázar de Madrid era en el siglo XVII compañero de las "poesías" de Ticiano, con merecimientos sobrados.

VERONÉS (PAOLO CALIARI), ¿1528?-1588

Escuela veneciana

Número 492   Lienzo. 1,92 × 2,97

El empeño de saciarse en hermosura y la vibración de humanidad que caracterizan los cuadros de Ticiano se truecan en los de Veronés en el gusto por lujos y opulencia, que traducen el vivir veneciano, festero y grato. Cuanto en Ticiano es profundidad en la composición, es en Veronés despliegue espectacular, aprovechamiento del primer término. El halago a los ojos pocos artistas lo han prodigado más que el gran decorador.

El lienzo es ejemplo admirable de lo que acaba de decirse: el pasaje, que narra el capítulo VIII del Evangelio de San Mateo, se pinta en un pórtico, y todos los personajes, ricamente vestidos o armados, se alinean fronteros al espectador. Una dignidad en actitudes y gestos acompaña al diálogo emocionante de los protagonistas. Al fondo, asomados a la balustrada de la terraza de un jardín, dos damas veladas con mantos añaden notas de belleza misteriosa a la escena. El joven que aparece por detrás de la segunda columna, tal vez, retrata a quien haya encargado el cuadro, o al hijo de quien lo encargó.

Refiere el texto del Nuevo Testamento cómo "habiendo llegado a Cafarnaúm se llegó a él (Jesús) un centurión rogándole y diciendo: —Señor, mi muchacho yace en casa paralítico... Y jesús le dice: —Allá voy y le curaré. Y, respondiendo, el centurión dijo: —Señor, no soy digno de que entres debajo de mi techo...".

Hay probabilidades de que sea el lienzo que Ridolfi menciona entre los de Casa Contarini en Padua. Para el crítico Giuseppe Fiocco es pintura ejecutada en la madurez de Veronés.

El señor Angulo ha señalado semejanzas sutiles entre la composición y la de *Las lanzas,* de Velázquez; pero no podría el pintor de Felipe IV conocer esta pintura, por cuanto parece seguro fue adquirida para el rey de España por el embajador don Alonso de Cárdenas en la venta realizada en Londres en la galería formada por Carlos I. Sin embargo, cabe que Velázquez, en su primer viaje a Italia, viese allá alguna repetición o copia.

Nuestro cuadro estaba en El Escorial en 1657; lo describe fray Francisco de los Santos en el capítulo del Prior; de allí se trajo al Prado en 1839.

La Biblioteca Nacional de Madrid guarda dos dibujos para este lienzo.

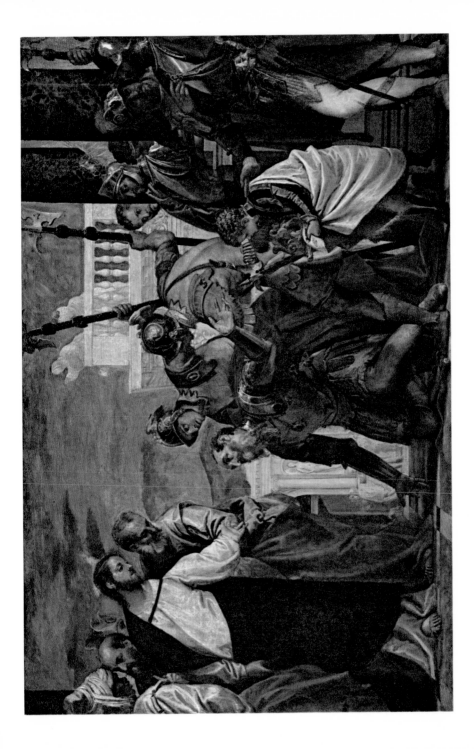

FEDERICO BAROCCI, 1526-1612

EL NACIMIENTO DE JESÚS   *Escuela italiana*

Número 18   Lienzo. 1,34 × 1,05

Prescinde el autor de las circunstancias conmovedoras acostumbradas en el modo de pintar la Natividad; en particular, las ruinas, que añaden el rigor de la intemperie decembrina, así como la desnudez del Niño Jesús. María, arrodillada, adora a su hijo, mientras San José abre la puerta a los pastores. Escena de interior humilde, mas no desmantelado; el Niño, en el establo, está cubierto y hasta abrigado, sin que falten en la estancia, a la izquierda, cesto, saco y fardo, y en el centro, alforjas o bolsa. Hay en todo una preocupación que acaso sea excesivo calificar de realista y que, desde luego, distancia este cuadro de los conceptos vigentes en la pintura anterior.

Anuncia, también, el cambio que el barroquismo aportaba; la actitud de San José enlaza unos planos con otros en el sentido de la tercera dimensión que, para ser conseguida, no utiliza la sucesión de telones, sino el escorzo en las figuras, mediante el cual se robustece la unidad del ambiente. Rasgos todos ellos de novedad y, casi podría decirse, de modernidad; por esto, la importancia que hoy se da a Barocci es considerable; pudiera decirse que en el "manierismo" busca una salida que evite convencionalismos y frigideces.

El cuadro fue adquirido por Carlos IV, cuando era príncipe de Asturias, prueba elocuente de la continuidad en las aficiones pictóricas de nuestros reyes, aun los que carecían de espíritu muy cultivado y de inteligencia brillante.

En 1814 el cuadro estaba en el Palacio Real de Madrid.

JUAN DE FLANDES. Trabajó en España desde 1496 hasta su muerte, en 1519

La resurrección de Lázaro   *Escuela hispano-flamenca*

Número 2935   Tabla. 1,10 × 0,84

Habrá quien objete contra la inclusión de esta tabla dentro de la escuela española, puesto que su autor se apellida "de Flandes", sin que se sepa si era denominación de patria o de estirpe. La objeción es de peso; sin embargo, los historiadores de pintura española tratan de este artista; su nombre en los documentos se escribe siempre a la española y la filiación de su arte dista de ser clara.

Sus fechas documentadas abarcan un período que excede en pocos meses de veintitrés años. El 27 de octubre de 1496 asentó como pintor de la reina Isabel la Católica; en 21 de octubre de 1519 ya había muerto.

Pasó los últimos años de su vida en Palencia, y de allí proceden, de la iglesia de San Lázaro, esta tabla y sus cinco compañeras, cuatro en el Prado y dos exportadas a Norteamérica.

Sobre *La resurrección de Lázaro* he escrito hace años: "el pasaje evangélico se trata de muy dramática manera, por la actitud movida del resucitado; detrás, María Magdalena arrodillada se dispone a ayudarle; bendícele el Señor, con el que se agrupan los discípulos; su expresión contrasta con la curiosidad recelosa de los doctores de la Ley mosaica, que miran desde la puerta del cementerio, abierta en el muro desportillado; descúbrense, al fondo, un ábside gótico y arboleda. Será pormenor nuevo en la representación del milagro la calavera en el ángulo inferior izquierdo. Son características del maestro las florecillas campestres y los guijarros y, asimismo, la profundidad del azul del cielo".

Rasgo de españolismo es en esta tabla el tamaño de las figuras, desproporcionado con el de las arquitecturas y el empeño expresivo de cada rostro. Si se compara esta pintura con la tablita de igual asunto que el pintor pintó, bastantes años antes, para el políptico de Isabel la Católica, se advierten, junto con las naturales semejanzas, los cambios que, seguramente, la devoción castellana introdujo en el desarrollo del tema, eliminando el plácido paisaje, la monumental construcción gótica y los rostros juveniles de San Juan Evangelista y de la dama arrodillada, que se asemeja a la reina Isabel.

Fue adquirido en mayo de 1952.

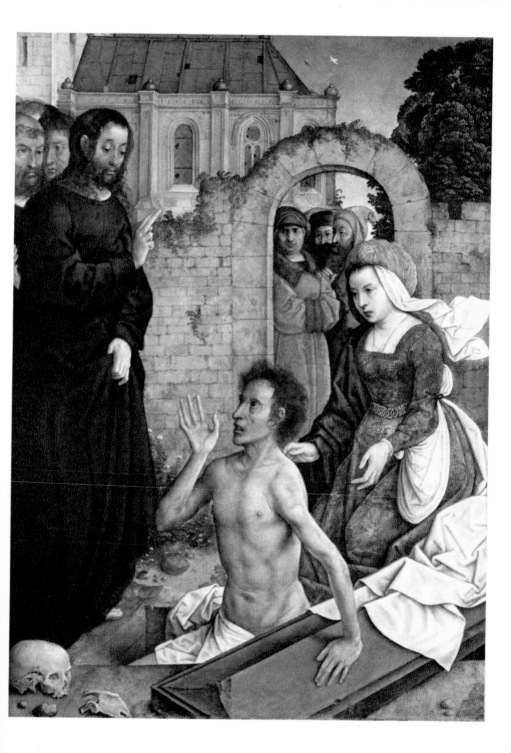

Es relativamente reciente el aprecio de este pintor, oscurecido antes por la fama excesiva, hoy declinante, alcanzada por su hijo Juan de Juanes. Por haber testado en 1545, declarando estaba "en edad de senectud", se calcula que habría nacido hacia 1475. Sus cuadros acreditan que conocía bien los de Rafael y de otros italianos, por lo que una estancia en Roma y, quizás, en Umbría parece más que probable.

De su "rafaelismo" y de su "romanismo" es argumento la armoniosa composición por sus modelos, su paisaje y su arquitectura; sin que se puedan señalar copias exactas, porque el valenciano no carecía de personalidad. Los paisajes de varios cuadros de Perugino y de Rafael suscitaron los de Masip. También los modelos de María, Santa Isabel y San José parecen de procedencia italiana, no así la hiladera de la izquierda de muy realista pergeño.

Otra pintura notable, pareja de ésta por la forma, el tamaño y la procedencia, es *El martirio de Santa Inés,* que se reproduce en la página 283, por la que el Rey pagó mil reales más que por la compañera.

Verosímilmente, sorprenderá a algún lector la preterición de Juan de Juanes (que murió en 1579), el hijo de Juan Vicente y afamadísimo pintor de asuntos devotos: en las reproducciones en negro se publica (v. pág. 283) *El Salvador,* con la Hostia en la diestra y el Santo Cáliz en la mano izquierda, que define su manera de pintar. Reprodúcese, al lado, el excelente retrato de un Caballero Santiaguista.

Ejemplos como la *Santa Catalina,* de Yáñez, y como *La Visitación,* de Juan Vicente Masip, preludian un florecimiento de la pintura renacentista en España, que frustró la caída en la manierismo rafaelesco, vitalizado tan sólo por los retratos, refugio de los gustos españoles.

Fue comprada la tabla por Fernando VII para el Museo en 1826 a los herederos del marqués de Jura-Real por la cantidad de 4.000 reales.

LUIS DE MORALES, hacia 1500-1586

LA VIRGEN CON EL NIÑO JESÚS   *Escuela española*

Número 2656   Tabla. 0,84 × 0,64

Al extenderse las frialdades manieristas italianizantes la devoción religiosa española se encontró con un intérprete que hubo de merecerle el calificativo de "el Divino". Era extremeño, de Badajoz, y se sabe muy poco de su vida. Es verosímil que residiese largo tiempo en Sevilla y, probablemente, en Portugal; acaso, no poco en Valencia. Las dos ciudades españolas, focos artísticos notables cuando mediaba el siglo XVI, debieron de proporcionarle el estudio de pinturas italianas y del Norte; en unas y en otras aprendió el empleo de recursos en el modelado de las carnes y en el peinado de cabelleras y barbas que valieron para que su sentimiento piadoso acertase a crear representaciones tiernas, y de seguro atractivo popular, de la Virgen con el Niño Jesús que, con sus juegos, despierta presagios de la Pasión, del Ecce-Homo, de la Quinta Angustia y de diversos pasajes evangélicos.

Pintor de técnica minuciosa, arcaizante, por la aceptación que tuvieron sus obras fue muy imitado hasta mucho después de su muerte.

La tabla que se reproduce prueba su "primitivismo", su estudio de los pintores nórdicos, acaso conocidos mediante los flamencos que trabajaron en Sevilla. Sobre su posición singular en el desarrollo de la pintura española ha escrito novedosas observaciones E. Lafuente Ferrari en *Breve historia de la pintura española* (Madrid, 1946), emparejándole por sus singularidades con la de El Greco, sin colocarlo, desde luego, en nivel artístico comparable.

De los temas preferidos por Morales, éste de la Virgen madre fue de los que trató con más originalidad, dentro de su suave sencillez. El ejemplar reproducido, que entró en el Museo legado por don Pablo Bosch en 1915, es el que revela con más emoción el sentido devoto del artista.

De reciente, ha salido la monografía J. A. Gaya Nuño en la serie *Artes y Artistas* (Madrid, 1961), que replantea los problemas no resueltos de la formación del pintor.

RETRATO DE FELIPE II   *Escuela española*

Número 106   Lienzo. 88 × 72

Este cuadro ha sido atribuido, primero a Sánchez Coello (1531 ó 32-1588), luego a Pantoja de la Cruz, aunque hay indicios para adjudicarlo a Sofonisba Anguisciola, pintora de Isabel de Valois, tercera mujer de Felipe II (murió en Génova, en 1620). Represéntase al devoto monarca pasando las cuentas del rosario. Felipe II compró muchos cuadros para los palacios reales y para El Escorial.

Si hay dudas sobre quién sea el autor del lienzo, no las hay respecto de su fecha o, mejor dicho, del período de su vida en que se pintó: el de su tercer matrimonio, con Isabel de Valois (1560-68), más bien a su final, cuando entenebrecían la vida de la Corte las anomalías y enfermedades del príncipe don Carlos, y el Rey había de extremar su religiosidad.

Durante el reinado de Felipe II, las corrientes artísticas españolas se orientan hacia las italianas con un sentido manierista, dando origen a distintas escuelas regionales. En cuanto al arte cortesano, prescindiendo de los artistas españoles e italianos que trabajan, se concreta en los pintores áulicos Antonio Moro († 1576), Alonso Sánchez Coello (1531-1588) y Juan Pantoja de la Cruz († 1608).

El más importante de los tres, el holandés Antonio Moro, es un magnífico retratista de la raza de Holbein y Van Dyck, que sabe aunar la observación objetiva con la psicológica para dar un digno empaque a sus modelos. Suyo es el retrato juvenil de Felipe II conservado en el Prado, así como otros quince. Antonio Moro tuvo algunos discípulos españoles y, de ellos, el más importante es Sánchez Coello, quien sucedió a su maestro como pintor de cámara, al dejar éste España.

El retrato es la especialidad de Sánchez Coello, que ejecuta de modo menos analítico que su maestro, su pincelada es más suelta y más cálido su colorido, pero también cultivó el tema religioso.

En el retrato de Felipe II reproducido en la página de enfrente, viste el monarca el traje y sombrero negros, etiqueta oficial de la corte española, cuello y puños de encaje. Del pecho pende la cinta del Toisón; en la mano izquierda, el rosario.

En el Prado pueden admirarse, también, obras del mismo pintor, entre las que pueden citarse el supuesto *Autorretrato, El príncipe Don Carlos, La infanta Isabel Clara Eugenia* (v. pág. 148), *Joven desconocido* y *Los desposorios místicos de Santa Catalina* (v. pág. 284). A lo largo de su vida, el gran artista ha ido dejando en varios retratos la fisonomía vulgar, pero no desprovista de dignidad, del monarca.

ALONSO SÁNCHEZ COELLO, 1531-1588

La infanta Isabel Clara Eugenia, hija de Felipe II

Escuela española

Número 1137   Lienzo. 1,16 × 1,02

Este cuadro se enlaza con el retrato pintado por Antonio Moro de su mujer Metgen por circunstancias históricas y por características técnicas. Se señaló al hablar de él cómo su pintor, manierista cuando pintaba asuntos religiosos, se liberaba de las trabas y de las recetas cuando retrataba y cómo, por haber venido a España en dos ocasiones y haber sido pintor de Felipe II y su familia, hubo de ser cabeza de la escuela de retratistas de la Corte.

El segundo representante de esta escuela fue Sánchez Coello, nacido en tierra de Valencia, pero de familia portuguesa; estuvo en Flandes con Moro y, seguramente, frecuentó su trato en la Península. Si se añade a este influjo directo el conocimiento de los retratos de Ticiano, que en su tiempo había ya en los Palacios Reales, se tendrá la explicación de su estilo sobrio, de su elegancia, de su manera honda de captar el alma de los retratados. Al igual que su maestro Moro, al pintar temas devotos era presa de los convencionalismos en uso.

Isabel Clara casó en 1599 con su primo carnal Alberto de Austria —que tuvo que renunciar a la púrpura cardenalicia y a la sede arzobispal toledana—; fue soberana de los Países Bajos; trabajó mucho por su prosperidad y protegió a artistas como Rubens, Jan Brueghel "de Velours", etc. Había nacido en 1566 y aquí la vemos retratada a los trece años, pues el lienzo está firmado en 1579. Murió en 1633. Fue muy querida por su padre y muy respetada por su hermano Felipe III y por su sobrino Felipe IV.

La disposición de la figura, de pie y apoyada en una silla, hubo de conservarse en los retratos cortesanos hasta los tiempos de Velázquez, así como lo severo del fondo. El primor en la factura del traje y joyas también se continuó por los seguidores de la escuela: Pantoja de la Cruz, Bartolomé González... Si quisiéramos comprobar dónde se advierte el estudio de los cuadros de Ticiano, repararíamos en el modo cómo está pintado el terciopelo de la silla.

El retrato figura ya en el *Catálogo* del Prado de 1828.

EL GRECO (DOMENICO THEOTOCÓPULI), 1540-1614

La Anunciación   *Escuela española*

Número 827   Tabla. 0,26 × 0,19

Es el único cuadro del autor pintado sobre tabla entre los que posee el Museo. Es, asimismo, obra excepcional por sus caracteres, que la aproximan a las de la época italiana. Cossío, que fecha esta pintura entre 1577 y 1580 —esto es, en el primer cuatrienio de la estancia en Toledo—, acaso fundamentó su cálculo en la monumentalidad de las figuras, que no es rasgo de la producción juvenil del cretense. Con bella frase el famoso crítico —el primero que estudió seriamente a El Greco— dice que en nuestra tablita se despidió el pintor de palacios y de pórticos; pero, el reciente descubrimiento en Londres del ejemplar último de *La curación del ciego,* ejecutado, seguramente, en España, resta exactitud a la observación.

La escena se desarrolla en un pórtico al que accede una escalinata, que colabora al efecto perspectivo, al que pronto había de renunciar el artista. La Virgen María, pintada sobre un modelo que podría calificarse de "formosus", contrasta con las que pintó a lo largo de su carrera. El Arcángel Gabriel es corpulento, también, y la nube tan compacta y resistente que permite que se arrodille el celestial emisario sin que la deforme. El grupo de ángeles, que acompaña al Espíritu Santo envuelto en resplandores, está formado por tres niños y otros dos más distantes, modelados y dispuestos con gracia seductora.

La ejecución es minuciosa, cual si se tratase de una miniatura y, al propio tiempo, con toques de pincelada francos: si la fotografía del cuadro se proyecta en tamaño grande nadie imaginará sus reducidísimas dimensiones, suponiéndose que las figuras alcanzan el tamaño natural.

La firmeza en la composición comunica serenidad al conjunto, que apenas turba el gesto más resignado que complacido de la "Ancilla Domini".

Es evidente la semejanza de la tabla con el lienzo mayor del Museo de Barcelona; mas no creo que pueda considerarse la tabla como reducción posterior, según se ha dicho.

La tabla fue adquirida a un particular en 25 de junio de 1868, cuando el Prado era todavía Real Museo.

151

EL GRECO (DOMENICO THEOTOCÓPULI), 1540-1614

CRISTO ABRAZADO A LA CRUZ   *Escuela española*

Número 822   Lienzo. 1,08 × 0,78

Con *San Francisco en meditación* fue éste el tema predilecto del autor que Camón Aznar, certeramente, dice que debiera nombrarse "La mirada de Jesús". Ya Cossío conoció siete ejemplares y Camón —quizá con generosidad excesiva— publica diecinueve.

Se inspira la composición en meditaciones de escritores devotos acerca de cómo el Señor aceptó gustoso el instrumento de muerte para redimirnos.

Puesto que las variantes son mínimas, dada la simplicidad compositiva, sólo las diferencias de técnica sirven para fechar las distintas versiones. Su calidad es varia y el estado de conservación y de limpieza influye mucho en la respectiva valoración. Así, el lienzo del Prado era tenido por Cossío como de mérito escaso; al limpiarse y refrescarse su barniz hace pocos años se ha puesto de manifiesto la firma en el ástil de la Cruz, cerca del borde inferior y, lo que es más, la calidad admirable de la factura, igual, si no superior, a la de los ejemplares que se estimaban mejores cuales el de El Bonillo (Albacete), o el excepcional del hospital de Huete.

Como la figura de Jesús recuerda mucho a la de *El expolio* de la sacristía de la catedral de Toledo (1577-1579), a partir de esa data puede establecerse la serie: el ejemplar del Prado parece que deba colocarse en el decenio 1594-1604; aunque para Busuioceano es anterior a la primera fecha. Manos y ojos son prodigios de expresión y de maestría.

Se ha dicho que en 1786, este lienzo, o una repetición del tema, se registraba en el convento de San Hermenegildo de Madrid, mas no encuentro la mención en el *Viaje* de Antonio Ponz.

Vino al museo desde el llamado de la Trinidad, que se formó con las pinturas de los conventos suprimidos, cuando la exclaustración del siglo XIX.

EL GRECO *(DOMENICO THEOTOCÓPULI)*, 1540-1614

A la izquierda: LA RESURRECCIÓN   *Escuela española*
A la derecha: LA PENTECOSTÉS

Números 825 y 828   Lienzos. 2,75 × 1,27 cada uno

Por dimensiones, forma y factura, los lienzos son compañeros, si bien, por motivos que no se alcanzan, Cossío, el mejor conocedor de El Greco, fechaba el primero entre 1604 y 1614 y el segundo entre 1584 y 1594. Si se admite esa separación en el tiempo entre los dos cuadros ha de reconocerse que el segundo se pintó para emparejarlo con el primero. Contra esta idea, muy seguida, ha reaccionado Soehner, recientemente.

En mi reciente libro *El Greco* (Milán. Silvana A.d.A, 1961) advierto que las diferencias antes apreciadas, deberíanse, en parte no pequeña, al desigual estado de limpieza y barnizado de los lienzos. No se tiene idea del cambio en el aspecto de una pintura producido por el simple refrescado de los barnices.

El afán del pintor por condensar el grupo constituido por los personajes —como había hecho en otras obras— no sólo disminuye el espacio, desarrollando la composición por alto, sino que, audazmente, hace sobresalir el brazo derecho del Apóstol de la izquierda hasta por encima de las lenguas de fuego del Espíritu Santo, para que remonte hacia el cielo el conjunto vibrante. Tres particularidades han de señalarse: la presencia de la bellísima figura femenina que está a la derecha de la Virgen María, quizá recuerdo de la que Ticiano había colocado al pintar el mismo asunto para Santa María della Salute, en Venecia; el hombre barbado que es el segundo a la derecha de la fila superior, sin duda retrato, que J. Camón Aznar identifica con el artista; y por fin, la originalidad de ciertos tonos verdoso-amarillentos que parecen tomados de algas, o los azules y carmines tan luminosos como si fuesen esmaltes.

Estos lienzos pasaron en 1870 del Museo de la Trinidad al del Prado; se ignora su procedencia, bien que se ha indicado si se pintarían para el convento de Agustinos de doña María de Aragón, en Madrid.

En *La Resurrección* ocupa la parte superior con la figura del Señor, llenando el fondo con la túnica y bandera volantes que se eleva sobre la masa de los guardianes que despiertan atónitos.

EL GRECO (DOMENICO THEOTOCÓPULI), 1540-1614

UN CABALLERO

Escuela española

Número 806

Lienzo. 0,46 × 0,43

No se objetará, cual pudo objetarse respecto a Juan de Flandes, de la inclusión del gran pintor cretense dentro de la pintura española, aunque se sepa, y no se haya de ocultar, que llegó a España —en 1577— pintor formado. Una estancia ininterrumpida en Toledo de treinta y siete años, dedicados a pintar incesantemente personas, paisajes y asuntos devotos, sobre modelos toledanos; el haber acertado a ser el intérprete de la sensibilidad española de su época; su huella en los pintores posteriores, que alcanza a Velázquez y a Goya, y a Solana, le nacionalizan en España con títulos irrecusables.

De la serie, única como tal, de los retratos de El Greco que posee el Museo del Prado, el que se reproduce es aquel pintado con los rasgos más vigorosos de exaltación enfermiza, que acostumbran a señalarse como característicos del Caballero, devoto hasta el ascetismo, o hasta el misticismo, de los días de Felipe II. El retratista ha condenado en la mirada el alma de su modelo, en el que una leve disimetría facial y la forma y oblicuidad de la barba contribuyen a la impresión intranquilizadora del contemplador del diminuto lienzo, cargado de tensión emocional.

Está firmado en letras griegas: *Domenikos Theotokopolis epoie*. Datará de 1584-1594.

Este y otros retratos de El Greco figuran ya en los inventarios de 1686 y de 1700 del Alcázar de Madrid; Velázquez los había tenido colgados en su taller palatino, dato merecedor de ser tomado en consideración.

El cuadro consta en el *Catálogo* del Prado de 1843.

Otros cinco retratos del pintor pueden verse en la página 285, entre ellos los dos identificados con seguridad: el Presidente de los Consejos de Hacienda y de Castilla Rodrigo Vázquez y el Lic. Jerónimo de Cevallos y otro identificado con probabilidades, el médico Dr. Rodrigo de la Fuente. Varios de los retratos sueltos, de los donadores en algunos lienzos y dos docenas de caballeros que asisten al enterramiento del señor de Orgaz carecen de nombre, pero sus rostros expresivos los individualizan y hacen como si viviesen. Así el que motiva el presente comentario; así el llamado *El caballero de la mano al pecho*, reproducido en la ya citada página.

EL GRECO (DOMENICO THEOTOCÓPULI), 1540-1614

SAN ANDRÉS Y SAN FRANCISCO   *Escuela española*

Número 2819   Lienzo. 1,67 × 1,13

Hasta hace pocos años había en el Prado desequilibrio entre la importancia de la serie de retratos de caballeros de El Greco y la de sus cuadros religiosos; la adquisición de ocho de ellos, tres notabilísimos, y el haber acometido, con resultados que admiran, la limpieza de varios semiocultos bajo capas de suciedad, conservadas entre las de barnices rancios, han aumentado considerablemente la representación del gran pintor dentro del museo.

El lienzo que se comenta vino en 1942 del monasterio de la Encarnación de Madrid; allí había sido llevado por una monja, hija de los duques de Abrantes, en 1766, dato expresivo del aprecio del artista siglo y medio después de su muerte. Hoy se sabe que no fue sólo un pintor para selectos, sino que acertó a complacer los gustos devotos de gentes del pueblo y, que por ello, tuvo copistas e imitadores en el siglo XVII y hasta en el XVIII.

La composición del lienzo, con las dos figuras de cuerpo entero y en pie, en diálogo —que alguna vez repitió El Greco— recuerda, al punto, los cuadros para los altares de los pilares de El Escorial, de inspiración veneciana, que comenzó Juan Fernández de Navarrete "el Mudo" y continuaron otros. El pintor hubo de gustar de estas parejas de bienaventurados; una de ellas, formada por San Juan Evangelista y San Francisco, poseída, también, por el Museo, se reproduce en la página 285; otra es la constituida por el mismo Evangelista y el Bautista. Pintó varias veces la de los Santos Pedro y Pablo, pero no de cuerpo entero. Mas en la composición se acaban las semejanzas, pues la concepción de los tipos, su alargadísimo canon, la espiritualidad de la expresión, el valor operante que adquieren las manos y la valentía del colorido, son rasgos peculiares de El Greco.

El lienzo está firmado en un papel simulado a la derecha, en bajo.

No era conocido antes de la guerra civil de España.

EL GRECO (DOMENICO THEOTOCÓPULI), 1540-1614

LA ADORACIÓN DE LOS PASTORES   *Escuela española*

Número 2988   Lienzo. 3,19 × 1,80

Trascendental adquisición relativamente reciente, para el Museo del Prado en este cuadro entre los de El Greco. En realidad "nuevo" para los admiradores del cretense, aunque se haya visto e incluso reproducido antes de ahora; lo primero apenas podía conseguirse por su situación a bastante altura en el ático del retablo mayor del monasterio toledano de Santo Domingo "el Antiguo"; lo segundo, con deficiencias por el estado de suciedad, por lo abolsado y por lo terroso y opaco de su colorido.

Es este lugar de advertir que muchos cuadros de El Greco, conservados con incuria, cuando se forran o reentelan adquieren tal jugo, frescura de tintas y brillantez que sorprenden y que al poco conocedor hasta pueden suscitar dudas respecto a su autenticidad. La fuerza y hasta la acritud del color en algunos lienzos —por ejemplo los del *Apostolado* del Museo de El Greco en Toledo—, debida a una restauración de comienzos de este siglo, perjudica su reputación, injustamente.

Empleaba El Greco colores de excelente calidad, que no se alteran ni degradan, aunque sí se desecan y semipulverizan, y la forración les devuelve el jugo perdido; puede decirse que resucitan. Tal ocurrió con este espléndido lienzo.

Todas las características llevan a suponerlo pintado hacia 1600, como contemporáneo de las pinturas del hospital de la Caridad en Illescas (Toledo), época de plenitud del artista. Cuando en 1612 se concertó la adquisición de una capilla para sepultura familiar en Santo Domingo "el Antiguo", el hijo del pintor llevó este lienzo para el altar. A sus pies yació algunos años su autor. En el primer tercio del siglo XIX, las monjas, que habían vendido cuatro pinturas del retablo mayor —la central de *La Asunción,* hoy en Chicago; *La Trinidad,* hoy en el Prado—, el *San Benito* y el *San Bernardo* sustituyeron la segunda en el ático por *La adoración de los pastores.*

Aparte de la viveza del colorido, ya subrayada, admira en este cuadro la agrupación apretada de las figuras, la grandiosidad de las de primer término, la robustez maciza de los dos pastores, que recuerdan obras del autor de época muy anterior; en contraste con la sutil de María, de rostro y manos prodigiosamente pintados y la corpulencia del buey, con testa igual a la de *La Natividad* de Illescas, elementos todos ellos característicos de una de las creaciones más originales del extraño pintor.

El lienzo fue adquirido por el Estado a fines de 1954.

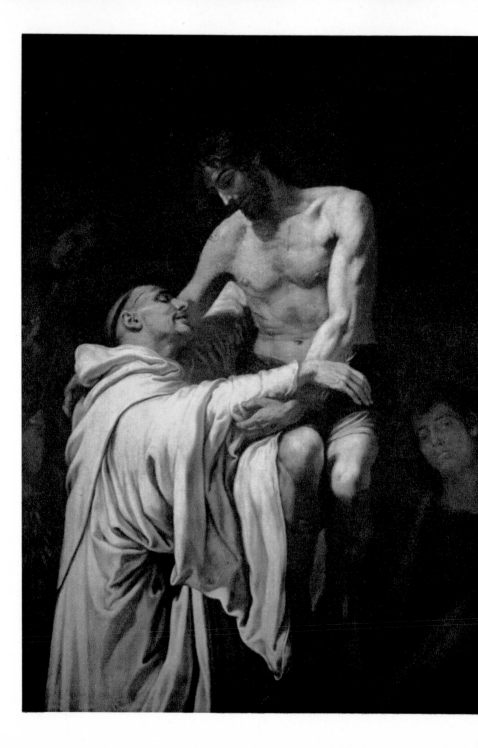

FRANCISCO RIBALTA, 1551-1628

CRISTO ABRAZANDO A SAN BERNARDO   *Escuela española*

Número 2804   Lienzo. 2,04 × 1,58

La personalidad del autor, del que hoy se sabe que nació en Solsona (Lérida), es de las que más intrigan por su innegable intervención decisiva en el cambio pictórico postmanierista. La firma, en 1582, del *Cristo enclavado* del Museo del Ermitage, con caracteres realistas, prueba que si marchó a Italia y allá, como parece, estudió y hasta copió cuadros de Caravaggio —nacido hacia 1565— llevaba ya una preparación adecuada para adueñarse de las novedades técnicas, si es que no se había adelantado en practicarlas, gracias a las pinturas venecianas y parmesanas estudiadas en El Escorial, porque su estancia en la Corte está documentada en la testamentaría de Pantoja de la Cruz.

De cómo avanzó en esta línea lo muestra el hermoso lienzo en el que se representa un pasaje de la vida del Santo Fundador cisterciense: estando en éxtasis místico ante el Crucifijo, Cristo se desprende de la Cruz para abrazarle; al fondo, en penumbra dos ángeles presencian el prodigio. Nárrase éste en libro tan divulgado como en la *Vida* del "Doctor melifluo", escrita por el P. Ribadeneyra.

Por la factura del cuerpo del Señor y por los hábitos monacales, entre cuyos pliegues se condensan sombras transparentes, se explica que a principios de siglo se atribuyese este cuadro a Zurbarán. Pero, ya en 1784, lo había dado como de Ribalta el viajero Ponz, al describir la cartuja de Portaceli (Valencia): "es de lo más bello —escribía—, bien pintado y expresivo que puede darse de Ribalta. Todo parece nada al lado de esta pintura"; elogio, en verdad, extremado. El retablo de donde procede se pintó entre 1624 y 1626.

En trabajo publicado en 1942 procuré fijar la relación de este lienzo con el relieve central del retablo del monasterio de las Huelgas de Valladolid esculpido por Gregorio Fernández de 1613 a 1614. *Gregorio Fernández y Francisco Ribalta* ("Archivo Español de Arte". Madrid).

El cuadro fue adquirido en 1940, con fondos del legado del Conde de Cartagena (1930).

QUENTIN METSYS o MASSYS, 1465 o 1466-1530

CRISTO PRESENTADO AL PUEBLO   Escuela flamenca

Número 2801   Tabla. 1,60 × 1,20

El ángulo desusado escogido por el pintor para enfocar la escena —y ha de perdonarse el empleo de conceptos modernísimos que, sin embargo, son adecuados— infunde vivacidad singular a la composición, acentuada por lo caricaturesco de varios personajes. Massys figura entre los pintores flamencos ganados por el sentido humanístico de Erasmo, teñido de rasgos de humor.

La composición puede provenir de la estampa de Durero, que se cree de hacia el año 1498.

El mismo Friedländer adujo, como semejanza, la tabla del Palacio Ducal de Venecia, aunque para mí esté más cercana del ala derecha del tríptico encargado a Flandes por el rey don Manuel de Portugal, para retablo de la sala capitular de Santa Clara de Coimbra, conservado en el Museo Machado de Castro de aquella ciudad; en esta obra ya la composición es un tanto oblicua, sin llegar al audaz punto de mira desde el cual está vista la escena en nuestra pintura.

La tabla no ingresó en el Museo del Prado hasta 1940, por legado de don Mariano Lanuza, pero era de antes conocida por Friedländer, que la publicó calificándola de maravillosa y datándola hacia 1515.

Posee el Museo otras pinturas de Massys; el grupo de figuras en el cuadro capital de Patinir, *Las tentaciones de San Antonio Abad* —que al ser entregado para El Escorial el 15 de abril de 1574 ya se declara la intervención de Quentin en la tabla— y, los dos cuadritos *El Salvador* y *La Virgen María,* firmado aquél en el dorso OPUS QUINTINI METSYS AN, MDXXIX, que pese a tan terminante testimonio, según Friedländer, serán de la mano de Jan Massys, hijo y discípulo.

El Renacimiento en Flandes construyó edificios atrevidos y recargados, y, sobre todo, los fingió en pintura y en grabados; hay en esta tendencia manifestaciones que proceden, con seguridad, de las construcciones ocasionales para entradas regias y otras fiestas. La tabla lo prueba y se advierte, especialmente, en la exedra rodeada por caprichosa galería; delante de ella está María sentada, con el Niño Jesús que la abraza.

La acumulación profusa de pormenores, ostentosamente clásicos, previene en contra de su sinceridad. Lo mismo se observa en otras obras nórdicas, de pintores ganosos de mostrarse dominadores del nuevo estilo. Mas, en esta pretensión hay, a veces, cual en la pintura que se comenta, muy sugestivo encanto. Su ejecución es muy primorosa, además.

Detrás de la tabla un largo letrero latino en versales refiere que el Consejo de Lovaina regaló a Felipe II esta pintura de Johannes Mabeus, en 1588, como agradecimiento por su ayuda, cuando la peste, de un decenio antes. Poco más de medio siglo hacía que se había pintado y extraña que en regalo en el que intervinieron varios se cayese en error al consignar el nombre del artista. Sin embargo, Friedländer, seguido por otros críticos, sostiene que por los caracteres estilísticos tiene que ser obra de Barend van Orley, pintada hacia 1516. Con todo, resulta violento, dudar de un documento tan solemne, por lo que, si bien no se oculten las dificultades puestas por la crítica moderna, se conserva en cabeza la atribución antigua.

El cuadro se llevó al Museo desde El Escorial en 13 de abril de 1839.

JOACHIM PATINIR, 1480-1524

EL PASO DE LA LAGUNA ESTIGIA   *Escuela flamenca*

Número 1616   Tabla. 0,64 × 1,03

Constituye una de las especialidades del Museo del Prado el conjunto de pinturas de carácter proclive a lo humorístico y a lo grotesco dentro de la escuela neerlandesa de fines del siglo XV y primer tercio del siglo XVI; y sobre todo, es chocante el gusto de Felipe II, así por las obras de El Bosco, como por las de Patinir. El conjunto de pinturas de este extraño artista reunidas en Madrid y El Escorial son, incomparablemente, las más notables que pintó.

La tabla que aquí se comenta es un originalísimo paisaje, que divide un brazo ancho de agua del cual sale, a la izquierda, otro menos caudaloso; surca aquél una barca, en la que boga Caronte, llevando un alma, a medio camino del Infierno o Báratro, cuya puerta torreada guarda el tricípite Cancerbero. De edificios y árboles salen llamas. A la izquierda, en una peña, un ángel y otro entre la fronda; lejos, una cúpula cristalina. La descripción, ni la misma fotografía, son incapaces de dar idea de la hermosura del paisaje, pródigo en verdes y azules, y de la transparencia del cielo y del agua.

La mezcla de fantasía y realidad en los pormenores produce efecto sorprendente. A diferencia de lo que suele suceder en otras pinturas de Patinir en las que el tema es accesorio y, seguramente, añadido en ocasiones —colaborando otros pintores en las figuras—, en ésta el asunto está íntimamente unido al paisaje y puede decirse que lo conforma.

Estaba en el Alcázar de Madrid y se salvó en su incendio de 1734.

Otros dos cuadros del autor se reproducen en la página 286 del libro: *Descanso en la huida a Egipto* con deliciosos episodios, cuales, San José que aporta una cantarilla de leche, los soldados de Herodes que buscan por el campo de mieses a los fugitivos, el pedestal esférico del ídolo derribado, etc.; y *Paisaje con San Jerónimo,* figura diminuta que lo representa en la cueva de Belén, mero pretexto para más fácil venta de la obra que, esencialmente, es un amplísimo y variado país.

BAREND VAN ORLEY, hacia 1492-1542

LA VIRGEN CON EL NIÑO   *Escuela flamenca*

Número 1932   Tabla. 0,98 × 0,71

Fue Van Orley el pintor de Margarita de Austria, tía y educadora de Carlos V; empleó la mayor parte de su actividad en suministrar cartones para modelos de tapicería, en los años de florecimiento máximo de los talleres bruselenses. Resalta entre los artistas flamencos como el que asimiló mejor, sin amanerarse, las enseñanzas renacentistas italianas, si bien su potencia creadora quedó por bajo tanto de la de Massys como de la de Mabuse, a quienes sobrevivió en doce y en seis años, respectivamente.

En las figuras de María y del Niño Jesús y, sobre todo, en la de San Juan está patente —en dibujo y en formas— la plena influencia de la pintura italiana; también quiere serlo la arquitectura de la galería, pero en el fondo de paisaje que alegra un río, con puente y edificios, y en el episodio de la pareja que pasea, el artista se muestra fiel seguidor de la tradición flamenca.

Según Friedländer, la tabla es temprana, pudiendo fecharse hacia 1516. Estaba en 1827 en el Palacio de Aranjuez.

Obra de calidad muy superior es *La Sagrada Familia*, firmada en 1522, también en el Prado y, según queda apuntado, la personalidad del pintor en nada se mostró más genial que en sus composiciones para ser tejidas; basta mencionar la serie del *Apocalipsis* de la corona de España, acaso la obra magistral de los talleres bruselenses de la primera mitad del siglo XVI, por más que se inspire en las estampas de Alberto Durero.

MARINUS (CLAESZON VAN REYMERSWAELE), 1500-1567

EL CAMBISTA Y SU MUJER   *Escuela holandesa*

Número 2567   Tabla. 0,83 × 0,97

El tema y otro análogo tuvieron mucho éxito. Al caso escribe M. Georges Marlier:

"El tema de los *Recaudadores de impuestos,* o *Usureros,* lanzado por Quentin Metsys, y del que el origen remonta, quizás a Jan van Eyck, fue tratado por Marinus van Reymerswaele con la pasión y el ardor que ponía en todo. Lo que no era para los Metsys padre e hijo más que una escena de costumbres tragicómicas, se convierte en aquél en diatriba vehemente, furiosa acusación contra rapaces inmundos. Por otra parte, se le deben innumerables réplicas y variantes, limitadas todas a dos personajes, de los cuales uno lee en un libro, mientras que el otro sentado a su vera, dicta o hace alguna observación."

Menos áspera es la escena del banquero, o cambista, y su mujer, que procede de Metsys también. El Prado posee un ejemplar, ahora depositado en El Escorial, firmado en 1538 y el que aquí se reproduce de un año después; presentan diversas variantes.

La tabla ingresó en el Museo en 1934 por legado del duque de Tarifa.

Marinus cultivó el género devoto: el Prado posee *La Virgen amamantando al Niño,* en un interior, que se reproduce en la página 286. Lleva el monograma de Alberto Durero y la fecha 1611, ambos apócrifos, puestos cuando no se apreciaba la pintura flamenca. También hay en el Museo dos tablas con *San Jerónimo* con la firma auténtica de Marinus fechadas, una en 1547 y otra en 1551.

172

ANTONIO MORO (ANTON VAN DASHORT MOR), ¿1519?-1576

RETRATO DE METGEN, MUJER DEL PINTOR   *Escuela holandesa*

Número 2114   Tabla. 1,00 × 0,80

La identificación de la retratada débese a V. von Loga, que la cimentó en la igualdad de medidas con el *Autorretrato* de Moro, de la colección de lord Yarborough.

Obra admirable, por la naturalidad e intimidad de la actitud y por lo sobrio del colorido. En la producción de Moro retratista forma pareja ideal con la *María Tudor, reina de Inglaterra,* asimismo propiedad del Prado, y que se reproduce en la página 286.

El pintor de Utrecht, que cuando trataba temas religiosos caía en el "manierismo", cuando retrataba echaba los fundamentos para la gran escuela de retratistas de la Corte de España, que, iniciada por su discípulo Sánchez Coello y por Pantoja, había de culminar en Velázquez, en Carreño, en Claudio Coello, manteniéndose durante siglo y medio.

La fecha del retrato de su mujer suele fijarse hacia 1554, entre sus dos estancias en la Península, realizadas en los años 1550 y 1561 a 1570.

Se describe en 1666 en el Alcázar de Madrid. No se conoce ninguna otra referencia concerniente a su historia.

No hay conjunto de pinturas de Moro que pueda compararse al del Prado en número y en calidad; todas ellas son retratos: *Doña Catalina de Austria, La princesa de Portugal doña Juana,* los *Emperadores Maximiliano II y Doña María, El bufón Pejerón* y varias damas desconocidas, entre ellas la que puede verse en la página citada, que legó al Museo el conde de la Cimera (1944).

EL TRIUNFO DE LA MUERTE   *Escuela flamenca*

Número 1523   Tabla. 1,17 × 1,62

Cierra Brueghel el ciclo de la pintura satírica y humorística, mostrándose arcaizante, pues cuando él nació ya habían desaparecido El Bosco y Patinir, y apenas viviría un lustro Quentin Massys. La efervescencia religiosa y moral, que ocasionaba revueltas y guerras, continuó suscitando obras de arte, nutridas de esencias populares. Según vamos comprobando, tanto Felipe II como muchos nobles de su tiempo gustaron de este género que hoy reconocemos como audaz dentro de aquel medio cortesano y devoto.

Porque en esta tabla vemos, junto con el desarrollo de la tesis cristiana de la muerte ineludible y de la vida del alma en ultratumba, rasgos atrevidos de sátira social, al pintar la invitación a la muerte del rey, del cardenal, de los comensales, de los jugadores de naipes, etc. La imaginación del artista se complace con las más extrañas figuraciones. La multiplicidad de episodios impide la composición ordenada. Acaso más propio título que *El triunfo de la muerte* fuera darle el del *Triunfo de la vida*, por la pareja del ángulo inferior derecho, indiferente a cuanto no sea su amor, conservador de la existencia.

Data Friedländer esta pintura magistral hacia 1560; de ser acertada su opinión, habría que rechazar el influjo sobre ella que señaló E. Michel de la estampa del propio Brueghel titulada *Dulle Griet*, fechada en 1564; considéralo obra maestra del pintor dentro de la tradición de El Bosco.

En la venta en Bruselas de la colección de Ch. Kreglinger se presentó un cuadro muy semejante, si bien con variantes, que ostenta dos textos: *Ecce equus pallidus...* (Apocalipsis, 6-8) e *Isit homo...* (Eccles., 5), que sin duda declaran el origen de la inspiración.

La tabla está citada en el libro de Karel van Mander: "Miro, también, otro cuadro en el que se sirvió de todos medios posibles para resistir a la muerte". En 1772 estaba en La Granja; de allí se trajo al Prado en 1827.

ALBERTO DURERO, 1471-1528

AUTORRETRATO

Escuela alemana

Número 2179

Tabla. 0,52 × 0,41

Hombre de curiosidad universal, Alberto Durero es entre los artistas del Norte el que más cerca estuvo de los máximos del Renacimiento italiano; tiene algo de Leonardo de Vinci y algo de Rafael. Fue grabador, escultor, tratadista de simetría y perspectiva y pintor. Viajó por Flandes y estuvo dos veces en Italia, pero en lo fundamental permaneció alemán en su arte.

Se autorretrató varias veces, a partir de los trece años —1484, 1492, 1493, 1495, 1498, 1500, 1507, 1508, 1511...—; a lápiz, a pincel, vestido, desnudo. Pocos artistas se autorretrataron tanto.

El que posee el Prado es obra capital. Estaba Durero en la fuerza de la edad, veintisiete años, y se pintó con mucho estudio y primor. Viste con elegancia rebuscada; su hermosa cabeza, tocada con bizarra gorra, se adorna con cabellera larga, en tirabuzones ensortijados, barba y bigote, cuidadísimos. Más que hijo de un orfebre parece un noble. Complemento maravilloso es el paisaje que se divisa por la ventana, o hueco de galería; campo verde, al borde de un lago, al pie de montes nevados, pintado con tal exactitud topográfica y luz tan verdadera que forma en la línea de los admirables que hizo, a la acuarela, delante del natural, práctica infrecuente en aquel tiempo. La minucia de la factura no estorba a la impresión del conjunto. La tabla nos da la expresión del alma del artista. El color es brillante y un tanto desunido, falto de aquella atmósfera pictórica que acertó a dar a sus cuadros después de su estancia en Venecia.

En el Museo está, también, el hondo retrato que Thaussing identificaba con Hans Inhoff, "el viejo", firmado en 1524 y que se reproduce en la página 287, admirable ejemplar de la última época del pintor.

Está firmado en la inscripción alemana, debajo de la ventana, en 1498.

Fue regalado por el Concejo de Nüremberg a lord Arundel en 1636; el coleccionista inglés lo regaló a su rey Carlos I y en la venta hecha a su muerte fue comprado para Felipe IV. En tiempos de Carlos II estaba en el Alcázar de Madrid, registrándose en el inventario de 1686. En 1828 consta ya en el *Catálogo* del Prado.

ALBERTO DURERO, 1471-1528

ADÁN-EVA   *Escuela alemana*

Números 2178-2179   Tabla. 2,09 × 0,81

En cantidad escasa llegó a España pintura alemana, en contraste con la abundancia de la flamenca. En los inventarios de los palacios regios apenas se encuentra, fuera de algún retrato, alguna cacería y algún paisaje. Varios de los cuadros registrados en ellos con la atribución a Alberto Durero deben considerarse, simplemente, de escuelas del Norte: su nombre en los siglos XVI y XVII, debido a la difusión de sus grabados, abanderaba innumerables tablas, a veces ni siquiera alemanas.

En la página 162 hemos visto el caso de *La Virgen amamantando al Niño,* de Marinus, que ostenta el monograma apócrifo del gran pintor germánico.

De los cuatro admirables cuadros firmados por Durero que posee el Prado, tres tienen procedencia conocida: el cuarto, firmado en 1524, también estaba en Palacio en 1686, sin que se sepa cómo entró. Del *Autorretrato* ya se habló; el *Adán* y la *Eva,* firmados en 1507, fueron regalados a Felipe IV por la reina Cristina de Suecia, quien estaría orgullosa de haberlo conseguido para sus colecciones artísticas deslumbradoras.

Son los más hermosos desnudos del renacimiento alemán, los más henchidos de esencias clásicas, los que, a su modo, emparejan con los de Giorgione y Ticiano con ímpetu sano, exento de sensualidad. Las dos tablas aisladas forman, en rigor, una composición: *El pecado original;* la serpiente entrega la manzana a Eva, que ha cortado una rama del manzano y se la ofrece a Adán. El soplo del espíritu del mal es tan fuerte que mantiene en el aire, casi horizontales, la cabellera de la mujer y las guedejas del varón. Carecen de fondo y unos guijarros están esparcidos en tierra.

En el Museo de los Uffizi, de Florencia, hay copia antigua, con variantes, con fondos de paisaje oscuro en que se ven un ciervo y un león.

Es sugestiva la comparación que puede hacerse con las dos tablas de desnudos femeninos de Hans Baldung Grien, que siguen a continuación.

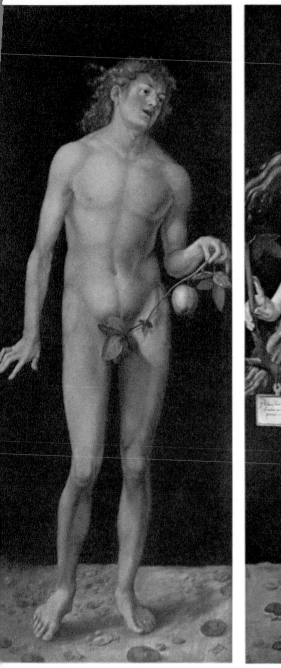

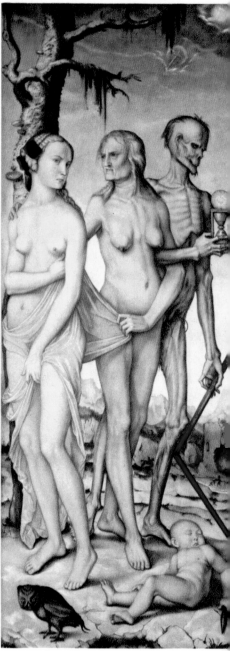

HANS BALDUNG GRIEN, 1484-1545

A la izquierda: LA ARMONÍA O LAS TRES GRACIAS   *Escuela alemana*
A la derecha: LA EDADES DE LA VIDA

Números 2219 y 2220   Tablas. 1,51 × 0,61 cada una

En la exigua representación que en el Prado tiene la pintura renacentista alemana hay dos tablas que constituirían un díptico pintadas por Hans Baldung Grien, artista renano. Fue aficionado a pintar desnudos femeninos y se sintió atraído por simbolismos y alegorías. La busca de complejidades le distanció del concepto del desnudo que acabamos de admirar en Durero; hay en los desnudos de Baldung a la manera de un refinamiento enfermizo.

En la primera tabla se cree figura a las *Tres gracias*, o a *La Belleza, la Poesía y la Música*, o a *La Armonía:* la joven del primer término, con la viola al pie, ayuda a sostener el libro por el que lee, o canta, la de la izquierda; mientras la de la derecha empuña un laúd; en tierra, tres genios, de los cuales el primero coge a un cisne por el cuello; fondo frondoso.

En la segunda, *Las edades de la vida:* un niño dormido, con la mano en la lanza quebrada de la Muerte, una joven y una vieja, desnudas; fondo desolado.

Probablemente en el texto de algún humanista nórdico se encuentre el origen de estas composiciones.

La primera tuvo una inscripción al dorso, perdida al ser engatillada, donde se explicaba que había sido regalada el 23 de enero de 1547 por el conde Federico de Solms a Juan de Ligne, barón de Barbanzón, en Francfort del Mein, en prueba de amistad.

Ya pertenecieron a Felipe II, registrándose en 1600 en el Alcázar de Madrid. En 1814 estaban en Palacio, de donde pasaron al Museo, aunque hasta la muerte de Fernando VII permanecieron en la Sala reservada a los cuadros de desnudo.

DANIELLE CRESPI, después de 1590-1650

<small>LA</small> P<small>IEDAD</small>   *Escuela italiana*

Número 128   Lienzo. 1,75 × 1,44

Entre los fondos del Prado tiene entidad notable el formado por los cuadros italianos del siglo XVII; caso explicable, porque este florecimiento pictórico coincidió, precisamente, con el reinado de Felipe IV, tan esforzado coleccionista. Sus virreyes en Nápoles, en Milán, sus embajadores en Roma, en Génova, en Venecia, servíanle de agentes para las compras o, con esplendidez, ellos y otros nobles, regalábanle pinturas. La selección así lograda hizo al Museo poseedor de un conjunto en cuantía y en calidad con pocos rivales, que, dados los gustos actuales, resulta apagado por el resplandor de otros tesoros pictóricos. La rehabilitación de la pintura italiana seiscentista, iniciada tiempo atrás, hará volver el interés hacia dicha riquísima colección.

Una de sus joyas es este lienzo conmovedor y de formas grandiosas. Si la línea que traza el brazo derecho de Cristo, su cabeza y la de María corresponde a la diagonal, la composición se equilibra, por modo desusado, mediante el rectángulo en que se inscribe el cuerpo del Señor, e incluso por la pirámide cuyo vértice es la cabeza de la Virgen Madre. Estas observaciones quedan anuladas por la profundidad del sentimiento contenido en el hermoso cuerpo del Hijo muerto y en la expresión de María.

El cuadro está firmado entre las rodillas de Cristo y el vaso para las unciones: *Daniellis Crispi oplus.*

Pintor milanés, seguidor de los Carracci, adquirió un estilo muy personal, realista y sincero.

En el ático del retablo mayor de las Agustinas de Monterrey,˙ de Salamanca, hay un cuadro de composición semejante a éste.

Fue adquirido en la almoneda del marqués del Carpio.

Figura en los inventarios palatinos de 1772 y 1794.

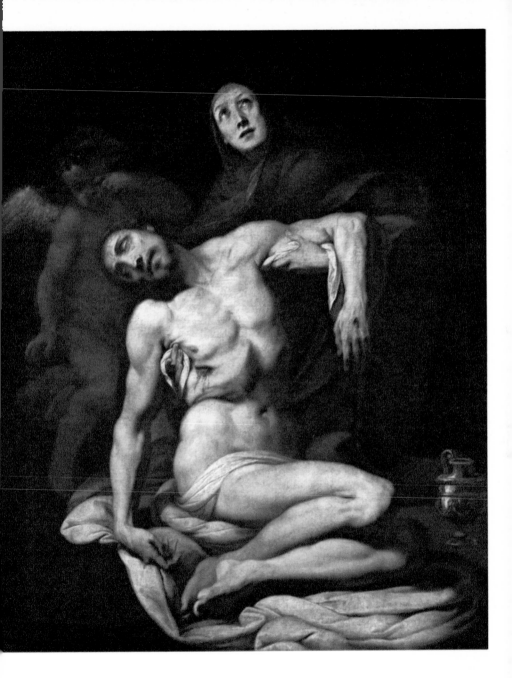

FRANCESCO FURINI, hacia 1600-1646

LOT Y SUS HIJAS

Escuela italiana

Número 144

Lienzo. 1,23 × 1,20

El escabroso pasaje del capítulo XIX del *Génesis* lo pintó Furini en uno de sus más hermosos cuadros, que a la vez es, acaso, el más sensual de todos los del Museo del Prado, que, si rico en cuadros de desnudo —Durero, Ticiano, Tintoretto, Rubens...—, guarda muy escasos ejemplares calificables de libidinosos.

El pintor ha juntado en una escena los episodios que el texto bíblico relata sucesivamente. Consigue con ello suma de plasticidad, que interpreta con un colorido en el que predomina el azul profundo, bellísimo. Es singular, además, la vecindad de este azul con el verde del paño que medio cubre la figura de la derecha.

Para muchos conocedores es la obra maestra de Furini, quien, como se ha dicho de Correggio, anticipa en ciertos rasgos temperamentales a algunos artistas franceses del sigo XVIII.

En 1701 el cuadro estaba en el Palacio madrileño del Buen Retiro. En 1792 pasó con los demás "de desnudo" a la Real Academia de Bellas Artes de San Fernando y en 1827 a la "Sala reservada" del Museo del Prado.

El pintor era florentino y apodábasele "il Sciameroni", eclesiástico, e incluso párroco en sus últimos años, buscaba preferentemente sus modelos entre niños y mujeres. Fue seguidor de Francesco Albani; y como él, cultivó asuntos mitológicos y bíblicos.

GUERCINO (GIOVANNI-FRANCESCO BARBIERI), 1591-1665

Número 201   Lienzo. 1,75 × 2,07

El pintor ha dispuesto a los personajes con habilidad sumamente expresiva: centra casi el cuadro la figura de Susana desnuda, sentada al lado de la fuente en que refresca su pierna izquierda, ajena a que los ancianos estén atisbándola cautelosamente; el estudio y la selección de los modelos están logrados y en la pintura el juego de luz y sombras contribuye a dramatizar la composición y a destacar el cuerpo de la mujer virtuosa y bella, esposa de Joaquín de la tribu de Judá, salvada de la calumnia urdida por los jueces lascivos, gracias a la intervención del profeta Daniel, como se narra en el capítulo XIII de su Libro.

La fuerza que la luz tiene en este lienzo demuestra que está pintado bajo el influjo "caravagesco", que Guercino experimentó en época que se fija hacia 1620, cuando no había alcanzado la treintena.

A mediados del siglo XVIII lo registra en El Escorial fray Andrés Ximénez en su *Descripción* (1764); estaba en la sala grande de los Aposentos Reales y, equivocadamente, supone que es una imitación de Guercino hecha por Lucca Giordano.

El pintor, nacido en Cento, perdió un ojo en la niñez, que le valió el mote con que se le conoce, que significa "el tuerto".

Fue Guercino artista notable y que, seguramente, hubo de ser admirado por Velázquez, por cuanto consta que en su primer viaje se detuvo en Cento, patria del pintor, "donde estuvo poco, pero muy regalado". En las iglesias de esta ciudad, en particular en San Biagio, había numerosas obras del artista a la sazón (1629) en pleno auge.

En 1814 el lienzo estaba en el Palacio de Madrid.

Otras dos pinturas importantes suyas en el Prado son: *San Agustín meditando sobre el misterio de la Trinidad* y *San Pedro libertado de la prisión por un ángel*, que pueden verse en la página 288 de este libro.

GIOVANNI BENEDETTO CASTIGLIONE (IL GRECHETTO),
1616-1670

DIÓGENES   *Escuela genovesa*

Número 88   Lienzo. 0,97 × 1,45

De este pintor genovés, que murió en Mantua, posee el Museo varios cuadros notables. Es artista menos famoso de lo que merece.

En un campo con restos arquitectónicos —una columna estriada— y una estatua mutilada de Marsias, o un telamón, el filósofo cínico escruta, con su linterna, en busca del Hombre y encuentra a un pastor dormido y a un sátiro ebrio, entre una ternerilla y un macho cabrío; en el suelo, animales muertos, caracolas y vasijas de cerámica de diversos tamaños; en un cerro próximo, pace un rebaño.

Cuadro de tonalidad clara, con azules, carmines y amarillos, poco frecuente en pinturas de este tiempo. Está firmado *Gio. Bened. Castillionus Genuen.*

El pintor fue excelente grabador y tiene una estampa con el mismo asunto.

Fue adquirido para Felipe V en la venta que se hizo en Roma de la colección dejada por el pintor Carlo Maratti, después de 1713.

Este lienzo y las estampas análogas hubieron de influir mucho en la formación de Giovanni Paolo Panini, especializado en cuadros de ruinas clásicas.

Estaba en el Palacio de Aranjuez en 1794.

Castiglione recibió en su juventud la influencia directa de Van Dyck en su ciudad natal; pero al trasladarse a Mantua, protegido por el Duque, transformó su estilo con el cultivo del paisaje, y de la pintura de escenas de pastores y de animales tomadas de la Biblia con frecuencia, géneros en los que alcanzó más éxito que con la de asuntos devotos. Trataba aquéllos con poética hondura y en el que aquí se comenta refleja la melancolía de las ruinas prerrománticamente.

JOSÉ o JUSEPE DE RIBERA (EL ESPAÑOLETO), 1591-1652

EL MARTIRIO DE SAN BARTOLOMÉ   *Escuela española*

Número 1101   Lienzo. 2,34 en cuadro

Entre los cinco más grandes lienzos que del pintor atesora el Museo, es el reproducido el de mayor riqueza en el colorido y el que presenta diversidad de tipos, además de su fuerza luminosa.

La composición ordenada, extrañamente, por dos diagonales y por las verticales de las columnas estriadas y del mástil al que están izando al Apóstol, deja amplio espacio con celajes, mientras ocupa y llena el suelo, incluyendo el grupo de la izquierda, con la dura e indiferente madre que da el pecho a uno de los más deliciosos niños de toda la pintura. Esta desusada disposición ata al contemplador, cual en contados cuadros ocurre, "persuadiéndole" de que es testigo de lo pintado en el lienzo. El magnífico desnudo del mártir tiene grandiosidad demostradora de que el artista conocía y sentía el arte clásico, sentido que le liberó de caer en gestos y ademanes tremebundos a que se prestaba el desarrollo del asunto.

Firmado en la piedra del ángulo inferior derecha: *Jusepe de Ribera español* 163...; la última cifra parece ser un 0; aunque el señor Tormo leía 9, que, para explicar el desenvolvimiento del estilo del artista, parece más razonable.

El lienzo se trajo en tiempos de Felipe IV al Alcázar de Madrid. Consta ya en el *Catálogo* del Prado en 1828.

Ribera nació en Játiva (Valencia) y, si bien marchó adolescente a Italia, siempre se declaró y hasta alardeó de ser español. En su larga permanencia, hasta alcanzarle la muerte, en Nápoles, reino de los monarcas españoles, trabajó para Felipe IV y sus virreyes, como el duque de Osuna, el conde de Monterrey, etc. Este españolismo de por vida, aunque no volvió nunca a España, contribuyó, y contribuye, al injusto desprecio de su arte por los críticos modernos, pese a que supera a todos los pintores italianos formados en el estudio de Caravaggio.

JOSÉ o JUSEPE DE RIBERA (EL ESPAÑOLETO), 1591-1652

SANTA MARÍA MAGDALENA, PENITENTE _Escuela española_

Número 1104 Lienzo. 0,97 × 0,66

En este lienzo se alían y funden cualidades, al parecer contrapuestas, en el arte personalísimo de Ribera, a saber: la sobriedad ascética y la complacencia en pintar la epidermis femenina, suscitando impresiones táctiles. Por algo una de las primeras ciudades de Italia en que trabajó el pintor valenciano fue Parma, henchida de obras de Correggio, el artista especializado en modelar el cuerpo humano y en pintar, delicadamente, su epidermis.

Con intensidad expresiva, Ribera ha concretado en media figura de la hermosa penitente, la calavera y el pomo de perfumes, todos los elementos del cuadro que la luz estructura magistralmente: obsérvense la parte de la cabeza en sombra transparente y la cabellera sobre el hombro, donde el gran luminista ha extremado su maestría. La belleza del modelo —¿una hija del pintor?— añade hechizo a este lienzo de un artista, hoy un tanto oscurecido en su fama, injustamente, que en obras cual ésta merecería calificársele de "Rembrandt meridional".

E. Tormo lo supone obra de la última época del pintor.

Como otros muchos cuadros de Ribera, fue adquirido por Felipe IV; en 1666 ya se registra en el Alcázar de Madrid.

El tema fue desarrollado varias veces por el pintor; así, en el número 1103 del Museo, donde representa a la Magdalena más joven y más hermosa.

Pertenece la versión que acaba de citarse a la admirable serie de cuatro lienzos que poseyó el marqués de Los Llanos, en la que figuran _El Bautista_ y el _San Bartolomé_, reproducidos eh la página 290.

JOSÉ o JUSEPE DE RIBERA (EL ESPAÑOLETO), 1591-1652

ARQUÍMEDES   *Escuela española*

Número 1121   Lienzo. 1,25 × 0,81

El pintor residió casi toda su vida en Nápoles, al servicio de los virreyes que gobernaban aquel reino en nombre de Felipe IV, y pintando también para éste. Nunca dejó de considerarse español y hasta de alardear de
serlo, así como de valenciano y de setabense —o de Játiva— en muchas
firmas de sus cuadros. ¿Trasluce esta constante declaración el prurito de
declarar que también era, artísticamente español? ¿Había aprendido con
Ribalta antes de marchar a Italia? ¿Se repitió en él la circunstancia antes
enunciada respecto de Ribalta de conocer las obras de Caravaggio cuando
llegaba con disposición previa suficiente para comprenderlas y aprovechar
sus principios técnicos?

Respóndase como se pueda a las preguntas formuladas, el hecho es que
ningún pintor aventajó como tenebrista a Ribera, quien, además, evolucionó en un camino luminista lleno de novedades.

Los tipos populares que, siguiendo la tendencia tenebrista, escogía
Ribera, hasta para sus cuadros devotos, servíanle, a menudo, para figuras
"de carácter", aisladas, vigorosas, llegando a especializarse en este género;
en el que no fue único, sino que tuvo muchos imitadores: hoy se acos-
tumbra, por los no conocedores, atribuirle "filósofos", o "pícaros" que no
son de su mano.

Dentro de las tendencias barrocas, y a partir de Rubens, se cultivó un
género de representación de sabios y filósofos antiguos, teñida de cierto
humorismo, buscando para modelos de sus supuestos retratos gentes de
la más baja clase. A todos superó en esta modalidad Velázquez, con sus
Menipo y *Esopo*. Fue Ribera aficionado a este género, y se conservan
varias figuras, de las que el Prado posee el *Esopo* y el *Arquímedes*. La
fuerza naturalista con que el modelo está retratado y el vigor de la pincelada, seguramente, hubieron de impresionar a pintores de este siglo,
como Zuloaga y Solana, que en este lienzo encontraron lecciones pro-
vechosas.

Está firmado en 1630.

En el siglo XVIII se guardaba en El Escorial. Consta ya en el *Catálogo*
del Museo en 1843.

<small>VISTA DEL JARDÍN DE LA VILLA MEDICI (ROMA)</small>   *Escuela española*

Número 1211   Lienzo. 0,44 × 0,38

Cuando la primera estancia de Velázquez en Roma —1629-31— le había conseguido el embajador de España una habitación en el Vaticano; pero llegados los grandes calores se trasladó a la Villa Médici y, habiendo sido atacado por calenturas, pasó a residir cerca de la Embajada. Sin duda, quedó prendido en su recuerdo el delicioso jardín, con elementos arquitectónicos y estatuas, y al volver a la Ciudad Eterna, veinte años después, dedica horas a pintar los dos sorprendentes cuadritos, si bien no debe ocultarse que para algunos críticos notables pudieron haber sido ejecutados cuando el primer viaje.

El paisaje —excepto algún ejemplo como *La vista de Delft,* de Ver Meer, o la de Zaragoza del propio Velázquez— hasta entonces era el fondo, casi siempre convencional de una escena, pintado en el taller, sin preocupación de la luz real. Velázquez afronta el natural y lleva el caballete al aire libre. Veronés en su *Venus y Adonis,* ya queda dicho cómo marcó los círculos que la luz del sol forma al filtrarse entre el ramaje; observación acaso accidental por cuanto creo que no la reiteró. Velázquez, en cambio, en el lienzo que aquí se comenta hace consciente estudio del hecho observado. Puede decirse que el paisaje moderno tiene su arranque en estas maravillosas pinturas.

Entre las dos resulta más avanzada técnicamente la segunda, que se reproduce, avalorada también por las figuras, asimismo de factura "impresionista" y por la vista perceptible a través del arco, por encima de la estatua de Ariadna.

En estos lienzos se declara la afición de Velázquez por la arquitectura, confirmada por el inventario de su biblioteca abundante en tratados de este arte.

Estaba en 1666 en el Alcázar de Madrid; después del incendio de 1734 fueron llevados al Buen Retiro.

DIEGO DE SILVA VELÁZQUEZ, 1599-1660

EL TRIUNFO DE BACO, O LOS BORRACHOS   *Escuela española*

Número 1170   Lienzo. 1,65 × 2,25

El asunto no se trata siguiendo las normas vigentes en Italia, Flandes y Francia para la pintura mitológica, sino que se desarrolla con la intención burlesca acostumbrada en las Letras y las Artes españolas; la misma con que realizó Velázquez *La fragua de Vulcano* y el *Marte*.

El contraste entre el dios desnudo y quienes le rodean, de ínfima condición y populares vestimentas, al ser coronado un soldado vencedor en certamen de bebedores, se corresponde con la incongruencia de ver entre las vidrios finos venecianos la taza de loza blanca y el jarro de grosera cerámica.

Probablemente Velázquez se inspiró en composición anterior, pues tal solía ser su modo de trabajar. Desde luego, hay la descripción de una fiesta en Bruselas, ante Isabel Clara Eugenia, en 1612, en la cual desfiló una carroza extrañamente parecida a nuestro cuadro: "el dios Baco, que parecía estar desnudo, caballero en un tonel... por arracadas traía [en las orejas] dos racimos de uvas... llevando alrededor ocho mancebos, que le venían haciendo la fiesta". Ocho secuaces rodean al Baco velazqueño, sentado sobre un tonel, adornada su testa, también, con pámpanos y racimos.

Los elementos de los bodegones juveniles del maestro están en este lienzo subordinados dentro de la apretada composición y sometidos a la unidad de luz, que baña todas las figuras menos la del primer término a la izquierda, colocada para lograr el efecto de profundidad.

Se ha dicho que el cuadro es "una bacanal paralítica"; más exacto fuera decir que el grupo está en quietud instantánea, cual si, ucrónicamente, un fotógrafo hubiese de actuar.

El cuadro se compró al propio autor el 22 de julio de 1629, en vísperas de su primer viaje a Roma; lo que lleva a suponer que se pintaría durante la segunda y larga estancia de Rubens en la Corte de España, cuando los dos grandes pintores hicieron amistad.

El lienzo se conserva sin haberse forrado o reentelado.

200

DIEGO DE SILVA VELÁZQUEZ, 1599-1660

El príncipe Baltasar Carlos de Austria en traje de cazador

Escuela española

Número 1189   Lienzo. 1,91 × 1,03

Fue pintado, seguramente, en 1635-36, porque el letrero declara: ANNO AETATIS SVAE VI y el príncipe había nacido en octubre de 1629. Se malogró este heredero de Felipe IV y, con ello, se quebraron las esperanzas de un futuro glorioso para España, en 9 de octubre de 1646.

El lienzo se encargó para decorar el palacete llamado la Torre de la Parada, en el Bosque de El Pardo, como los demás retratos de cazadores y de bufones de Velázquez y como la deslumbradora colección de pinturas mitológicas de Rubens y su taller.

El príncipe, con el arcabuz que había sido regalado a su padre por el virrey de Navarra, está acompañado por dos perros: un galgo vivacísimo, a la derecha, y un perdiguero, tranquilamente echado, a la izquierda, con tal naturalidad que no es tópico decir que al contemplarlo con fijeza casi obsesiona la idea de que va a levantarse si se le llama. La diagonal, procurada por los pintores barrocos, va desde el perro hasta el árbol, como eje de la composición.

La elegancia y la gracia de la figura infantil pocas veces han sido emuladas. Renoir se inspiró en este retrato para el de su hijo Jean y otros artistas menos famosos recurrieron a este paradigma admirable. Todavía ha de señalarse la clara profundidad del fondo, tomado probablemente de El Pardo.

La conservación del cuadro es perfecta; tanto, que no está reentelado.

De la misma fecha será el sin par retrato ecuestre, pintado para el Salón de Reinos del Palacio del Buen Retiro, que se reproduce en la página 293; en ella y en la precedente se ven diecisiete cuadros, que acrecen la idea que el lector puede formarse y fijan sus recuerdos de Velázquez en el Prado, que cuenta con no menos de cuarenta y siete obras suyas: casi como la mitad de su producción total.

DIEGO DE SILVA VELÁZQUEZ, 1599-1660

LA REINA DOÑA MARIANA   *Escuela española*

Número 1191   Lienzo. 2,31 × 1,31

Al regresar Velázquez de su segunda estancia en Italia —el verano de 1649 a la primavera de 1651— encuentra a la nueva reina, sobrina y segunda mujer de Felipe IV. Mas no la retrata entonces por estar enferma; el lienzo será de 1652-53. Según sir Philip Hendy precedería como estudio del natural la media figura adquirida por la Gallery of Arts de Kansas City (USA).

Creo que también hubo de precederle el retrato, casi igual al nuestro, cedido en 1941 por el Museo del Prado al del Louvre, en un convenio de cambio de obras de arte y documentos.

Se da en Velázquez, desde tiempos juveniles, el hecho de la repetición de retratos siempre con rasgos de originalidad en la factura. Obsérvase que el primer ejemplar, ejecutado con el natural delante —en casos de personajes regios— estudiaba directamente el rostro, pero empleaba modelo supletorio para cuerpo y ropaje— es más atado y ceñido, de técnica menos franca; mientras que en el segundo ejemplar se aprecia mayor libertad. Generalmente, añade algún pormenor, modifica el plegar de los paños, como si la ausencia del modelo ensanchase la fantasía y diese mayor lugar al arte. Tienen los primeros ejemplares la fuerza de lo ajustado a la expresión de la verdad, y mayor precisión en el dibujo, en tanto que, los segundos seducen por su elaboración más libre conseguida a la manera de un juego maravilloso.

El retrato de doña Mariana suma al valor psicológico el decorativo y está ejecutado con esa ligereza en el manejo del pincel y con esa fluidez en la pasta del color que hizo comparar a A. L. Mayer esta técnica velazqueña con la de la acuarela y con la impresionista.

Doña Mariana nació en 1634 y casó en 1649 con el rey de España, al que sobrevivió treinta y un años; murió en 1696.

El lienzo se trajo de El Escorial el 2 de agosto de 1845.

Es de advertir que Velázquez retrató reiteradamente a Doña Mariana, en tanto que a Doña Isabel de Francia, primera esposa de Felipe IV, apenas la pintó, a pesar de que ocupó el trono en los años de su juventud; quien desee conocer su retrato más bello lo encontrará en la página 292, emparejado con el también ecuestre del Rey.

DIEGO DE SILVA VELÁZQUEZ, 1599-1660

LAS MENINAS   *Escuela española*

Número 1174   Lienzo. 3,18 × 2,76
                          Fragmento central. Véase el conjunto (pág. 293)

La anécdota pintada debió de ocurrir así:

En un día estival de 1656 retrataba Velázquez a los reyes Felipe IV
y doña Mariana en el cuarto bajo llamado del Príncipe, del Alcázar de
Madrid, sala adornada con copias hechas por Mazo de cuadros de Rubens
y de Jordaens. Presencia la ejecución del lienzo la infantita doña Margarita, de cinco años, acompañada por sus servidores más íntimos: dos da-
mitas nobles —en el elenco palatino denominadas "meninas", con palabra
portuguesa que significa "niña"—, el bufón Nicolasito, la enana Maribár-
bola y dos guardadamas: doña Marcela de Ulloa y un varón de nombre
ignorado; echado, el hermoso y tranquilo mastín. La infanta tiene sed y
una de sus "meninas" le trae un "búcaro" o jarro de barro, con agua
fresca y perfumada, según la costumbre. De pronto, el aposentador José
Nieto Velázquez abre la puerta del fondo para entrar en la sala y con él
penetra un fuerte reguero de luz solar. Aun estando el grupo de espaldas
al pintor, éste advierte sus valores plásticos y su belleza colorista; para
contemplarlo pasa al lado de los reyes, hasta aquel momento sus modelos
y, abandonándolos, cambia el asunto, pero mantiene fidelidad a la inicial
colocación de los personajes, cual si otro pintor viniese a pintarlos, a fijar
aquel instante, huidizo y trivial en la vida palatina, hecho duradero, inserto
para siempre en la sensibilidad artística.

Si como asunto no pasa de una escena de interior, al estilo de las
acostumbradas en Flandes, en Holanda, la maestría de Velázquez, llegada
a lo sumo, resuelve en este lienzo el problema de la perspectiva aérea; de
la traducción del ambiente mediante el color, y lo consigue por tal raro
modo que, contemplado el cuadro a solas y despaciosamente, se llega a
tener la impresión obsesiva de que se podía andar por el ámbito pintado
y que las figuras alientan, y se disponen a moverse. Lo pasado cobra vida;
la Historia deja de ser una afanosa reconstrucción.

Si, técnicamente, Velázquez pudo tomar ejemplos en cuadros de interior con espejo al fondo —desde Van Eyck y el Maestro de Flemalle—
aquí el artificio le sirvió para que, obligados los ojos del contemplador
a recorrer la distancia desde el lugar en donde estaban los reyes hasta el
espejo, "físicamente", se mide la profundidad pintada.

El cuadro se llamaba *La familia* en los inventarios palatinos.

DIEGO DE SILVA VELÁZQUEZ, 1599-1660

LAS LANZAS O LA RENDICIÓN DE BREDA   *Escuela española*

Número 1172   Lienzo. 3,07 × 3,67

El hecho histórico es conocido: el 5 de junio de 1625 el general holandés Justino de Nassau hizo entrega de la ciudad de Breda al general español Ambrosio Espínola, marqués de los Balbases.

Velázquez pintó el cuadro con destino al Salón de Reinos del palacio madrileño del Buen Retiro antes del 28 de abril de 1635. Debe anotarse que el pintor hizo su primer viaje a Italia en el mismo barco que Espínola, ocasión en que pudo estudiar su retrato y, seguramente, conocer pormenores del suceso, ocurrido cuatro años antes.

Es el cuadro de composición más compleja y solemne de cuantos pintó su autor. Se ha señalado el origen de ella en la ilustración de una Biblia, impresa en Lyon en 1538 —la ofrenda de Melchisedek a Abraham—. Se ha subrayado que, barrocamente, se han dispuesto personas y caballos formando en el suelo como un aspa. Pero éstas y otras observaciones técnicas, por certeras que sean, se disuelven a la vista del lienzo en la atmósfera de verdad, luminosidad y nobleza. Velázquez no había estado en los Países Bajos; tuvo que valerse de grabados y de pinturas, probablemente mediocres, por lo que asombra más y más su acierto al adivinar y pintar un ambiente que le era extraño.

Certera es, asimismo, la interpretación de los tipos y de las reacciones de los soldados holandeses, que no podría encontrar fácilmente en Madrid; entre éstos destaca el joven, vestido de claro, con expresión y ademán de disconforme: cual si pensase en un desquite próximo. Extraña que no hayan podido identificarse con certeza algunos de los españoles retratados.

Con todo, y por encima de estas excelencias pictóricas, está la elevación moral que preside el grupo protagonista; la gentileza con que el vencedor acoge al rendido, acción que si así ocurrió sólo un artista de la nobleza de sentimientos y de su profunda espiritualidad había de alcanzar a interpretarla.

Para el origen de la composición del grupo central puede aducirse la estampa de Pieter de Iode (1606-1674) titulada: *Superat presentia famam Cardenalis Infans Coloniae Agrippinae ab Electoribus Principibus excipitur,* mas desconozco la fecha de este grabado.

208

DIEGO DE SILVA VELÁZQUEZ, 1599-1660

LA INFANTA DOÑA MARGARITA DE AUSTRIA, DESPUÉS EMPERATRIZ
Escuela española

Número 1192   Lienzo. 2,12 × 1,47

La protagonista de *Las Meninas* está retratada en este lienzo cuando tenía de ocho a nueve años. Hija de Felipe IV y de su segunda mujer doña Mariana de Austria, había nacido en 12 de julio de 1651; casó a los dieciséis con el emperador Leopoldo y murió el 12 de marzo de 1673.

Velázquez la retrató repetidamente; por vez primera de cuerpo entero —versiones en el palacio de los duques de Alba (Madrid) y, más completa, en el Museo de Viena—; luego, de busto, en el Museo del Louvre; probablemente en 1657, vestida de blanco, en Viena; allí mismo, años después, vestida de verde grisáceo. Por último, en el que aquí se reproduce, acaso la obra postrera del pintor.

El cuello y las manos son de factura que se aparta de la genuina y serán de otro pincel; pero son de Velázquez y de lo mejor de su arte, la figura y las telas, conseguida su materia con maestría singular: repárese en cómo están hechas las mangas, la falda y el pañuelo con transparencias, brillos y matices prodigiosos. El color es tan fluido que no parece óleo, sino acuarela y el pincel está manejado como si el pintor jugase con él.

En el cuadro del Museo de Viena *La familia de Mazo* —el pintor yerno de Velázquez— se ve el taller en el que el gran artista pinta un retrato, que parece el mismo que aquí se publica, pero que no puede serlo, porque el vestido de la Infanta no es color de rosa, sino azulado.

Las Meninas se reproducen en la página 293; valga para renovar el recuerdo del visitante del Museo. El maravilloso lienzo se pintó en 1656; la Infanta contaba un lustro. Como no se ignora, el nombre del cuadro nace de la denominación que, con la palabra portuguesa equivalente a "niñas", se daba a las jóvenes de la nobleza que acompañaban en sus juegos y salidas a las hijas de los Reyes.

FRANCISCO DE ZURBARÁN, 1598-1664

CRISTO EN LA CRUZ Y SAN LUCAS, EVANGELISTA Y PINTOR

Escuela española

Número 2594   Lienzo. 1,05 × 0,84

Lo excepcional de esta pintura reside en varios aspectos peculiares. El primero, su tamaño, propio de obra pintada por propio designio, sin que mediase encargo y, seguramente, sin que se destinase a la venta; cuadro íntimo, para devoción de su autor. El segundo, la novedad iconográfica; puesto que si la tradición dice que san Lucas fue pintor y retrató a Jesucristo y a la Virgen, no se ha solido representarle en el monte Calvario. El tercero es la apasionante intensidad del diálogo, más que meditación, que sostiene el pintor con el Crucificado, que no se pinta muerto, pues carece de la herida de la lanza. El cuarto, el atrevimiento artístico de retirar el paño de pureza dejando visible toda la parte derecha del cuerpo del Redentor, con lo que Zurbarán obtiene una línea pictórica nueva.

Se ha formulado la hipótesis, lógica, de que en el San Lucas se habría retratado el artista; alguna objeción cabría formular; por ejemplo, que el perfil exagerado lo motivaría, acaso, el deseo de acusar la raza judía del Evangelista, de manera un tanto ingenua. También podría argüirse con lo agudo del ángulo facial, que no agradaría fuese el del gran pintor extremeño.

El cuadro perteneció a la famosa galería del infante don Sebastián Gabriel de Borbón; lo heredó su hijo don Alfonso de Borbón Braganza; el Museo del Prado lo adquirió a uno de sus herederos en 1936.

Recibió y desempeñó Zurbarán encargos cuantiosos, trabajando en Sevilla, en Madrid, en Guadalupe, en Jerez de la Frontera, pero fue ignorado por cuantos escribieron sobre pintura en el siglo XVIII; por lo menos, ninguno le mencionó.

Este desconocimiento, o esta preterición inexplicable por parte de Carducho, de Pacheco, de Jusepe Martínez, no se compensa con la fría referencia de Díaz del Valle, que, además, permaneció inédita hasta 1933. Mas hubo de llegarle la gloria con nuestro siglo, que en las décadas recientes se ha convertido en universal.

FRANCISCO DE ZURBARÁN, 1598-1664

SANTA CASILDA

Escuela española

Número 1239

Lienzo. 1,84 × 0,90

En rigor, debería ser considerado como retrato de una dama andaluza, quizá Casilda de nombre, por mostrar en su falda unas rosas en que —según la vida de la santa— se hubieron de trocar los mendrugos de pan que llevaba a los cristianos cautivos de su padre, rey moro de Toledo.

Fue acostumbrada esta representación devota y, probablemente, fiel al natural; dos poetas españoles del siglo XVII, Ulloa Pereira y Esquilache, dedican versos "en ocasión de haber puesto una dama la copia de su rostro en una imagen de Santa Lucía" y "a una dama retratada con la insignia y vestido de Santa Elena". Tan curiosos textos —exhumados por el docto crítico don Emilio Orozco— aclaran lo que podría extrañar en el Arte de país tan devoto como España. Pintó Zurbarán, y luego repitió su taller, tal número de santas ataviadas a la moda del tiempo, que parece discreto no dar categoría de retratos más que a algunas de estas representaciones; desde luego, a la hermosa que se reproduce.

La elegancia en el porte y en el traje, de sedas gruesas y consistentes, cuyo plegar se estudió, sin duda, teniendo a la vista el maniquí, y al colorido caliente e intenso hacen de este cuadro un ejemplo cabal del estilo del pintor español que en estos años es preferido. El volumen que sabe conseguir en sus figuras; la dureza que aparentan sus superficies, la humilde tenacidad con que procura reproducir las calidades materiales y, por fin, su sensibilidad contenida, nunca gesticulante ni superficial, da a sus obras atractivo singular para los artistas y los conocedores actuales.

El cuadro no se registra en el Palacio de Madrid antes de 1814. Se cataloga en el Museo del Prado desde 1828.

En la página 291 verá el lector cuatro pinturas de Zurbarán: un bodegón, dos asuntos de la vida de *San Pedro Nolasco,* fundador de la Orden de la Merced, y el pasaje de la del lego franciscano *San Diego de Alcalá,* con repetición del prodigio realizado por *Santa Casilda:* el cambio en flores de las limosnas.

BARTOLOMÉ ESTEBAN MURILLO, 1618-1682

LA INMACULADA CONCEPCIÓN   *Escuela española*

Número 2809   Lienzo. 2,74 × 1,90

La Virgen María está en pie sobre el creciente de la Luna y rodeada por ángeles entre nubes que, a la derecha, acentúan la composición diagonal. Son muy bellos los modelos de la Inmaculada y de los espíritus angélicos. La expresión de la Virgen es, al mismo tiempo, humana y celestial. El colorido, rico en matices, es predominantemente dorado, tal vez oscurecido en algunas zonas por barnices viejos, que convendría levantar.

Lo seductor del colorido de los cuadros de Murillo ha conservado al pintor la admiración popular; y, por estimarlo fácil y halagador en exceso, le ha mermado la estimación de los doctos y de los artistas modernos. Es seguro que un estudio riguroso de muchas de sus obras devolveríale el aprecio que hoy se le regatea.

El tema del lienzo no ha solido comprenderse, en particular en el extranjero, interpretándose, erróneamente, como *La Asunción de la Virgen María a los cielos,* cuando representa el privilegio concedido por Dios a Aquella en que había de encarnar, exceptuándola del pecado original, herencia de Adán con la que nacemos. El arte español pintó y esculpió este tema —en realidad, no expresable por medios plásticos—, figurando la Inmaculada Concepción de María, convencionalmente, mediante una niña o una joven, glorificada. La devoción inmaculadista arraigó en España y alcanzó su máxima floración en Sevilla en el siglo XVII. Nadie ha aventajado a Murillo en el número y calidad de sus Inmaculadas —el Prado guarda otras tres suyas hermosísimas—; ninguna, sin embargo, supera en majestad y belleza serena a ésta, pintada para el hospital sevillano de los Venerables Sacerdotes, hacia el año 1678.

El cuadro fue llevado a Francia por el mariscal Soult en 1813; subastado a su muerte, lo adquirió el Museo del Louvre en mayo de 1852 por 615.000 francos. Ingresó en el Prado por el cambio concertado en 1940, con el Gobierno francés, al que el Museo contribuyó entregando al del Louvre el primer ejemplar, el hecho del natural, del retrato de *La reina doña Mariana de Austria,* pintado por Velázquez.

JAN BRUEGHEL "DE VELOURS", 1568-1625

EL GUSTO   *Escuela flamenca*

Número 1397   Tabla. 0,64 × 1,08

Entre las peculiaridades del Museo del Prado se cuenta su colección de pinturas de Brueghel "de Velours", artista de dotes múltiples. Reside la explicación de esta singularidad en que desde 1609 fue, después de Rubens, y aun a su lado, el pintor predilecto de los archiduques Isabel Clara Eugenia y Alberto, soberanos de Flandes, tíos de Felipe IV.

Pintor de variadísimos recursos, dominaba por igual la figura humana, las de los tres reinos de la naturaleza, el paisaje, las arquitecturas e interiores y cuantos artificios inventó el ingenio; gustábale hacer alarde en un mismo cuadro de la suma inverosímil de sus habilidades y maestría. A esta exhibición se prestaba como pocos temas el de los "Sentidos corporales", que cultivó reiteradamente.

Pertenece esta tabla a una serie de cinco, que posee completa el Prado, de *Los sentidos;* figúrase en ella *El gusto,* agotando la representación de casi todo cuanto puede definirlo. A la mesa, llena de los manjares más suculentos, está sentada una robusta ninfa, a la que un fauno escancia bebida; por el pavimento se extienden pescados, caza, frutas y, como la escena está situada en galería abierta al campo, vense gallinas, pavos reales y ciervos; al fondo, el castillo de Tervueren con el foso inundado. Acrecen pormenores alusivos al asunto los cuadros que decoran los muros: uno, *El milagro de las bodas de Caná;* otro, una comida profusa; en el suelo se ve el cuadro *Cibeles con las cuatro estaciones,* del propio Brueghel y de Van Balen —núm. 1414 del Pardo—. No satisfecho con tantas vituallas, añade la cocina, a la izquierda del fondo. Esta prodigalidad gastronómica está pintada con pormenores, mas sin esfuerzo, por lo cual quien contempla el cuadro no siente fatiga y se deleita en descubrir bellezas y minucias.

La tabla está firmada: BRUEGHEL FE/CIT/1618.

El Museo, además de esta colección de los *Cinco sentidos* en otros tantos cuadros, posee otra en la que se agrupan en dos lienzos: *La vista y el olfato* y *El gusto, el oído y el tacto,* siendo curioso señalar que en 1636 se creían las figuras de Rubens y "las demás cosas" de Snyders.

PEDRO-PABLO RUBENS, 1577-1640

EL TRIUNFO DE LA IGLESIA   *Escuela flamenca*

Número 1698   Tabla. 0,86 × 0,91

Las facultades prodigiosas de inventiva de que gozaba Rubens tuvieron ocasión propicia para ser probadas cuando la infanta archiduquesa Isabel Clara Eugenia, soberana de los Países Bajos, le encargó una colección de diecisiete pinturas, según el cálculo más exacto, para modelos de una serie de tapices con temas relacionados todos con la apoteosis de la Eucaristía, que había de tejerse para el monasterio de las Descalzas Reales de Madrid. Dio Rubens por acabado su trabajo, realizado en tablas, en 1628. Luego, en su taller, se ejecutaron los "cartones" —en realidad, lienzos— que habían de manejar los tapiceros Jan Raes y Jacques Geubel. La serie se conserva en el monasterio madrileño, hoy visitable.

No se redujo la tarea a lo dicho, pues, además, Rubens, demostrando el empeño puesto en la empresa, hizo dibujos y bocetos —varios conservados en Cambridge, entre ellos el correspondiente a esta tabla—. Después de tejidas las composiciones, se grabaron.

El simbolismo de las figuras que forman la composición es fácil de desentrañar: va en la carroza la Iglesia portadora de Sacramento, las Virtudes Cardinales llevan las riendas y guían a los caballos; debajo de las ruedas, la Furia, la Discordia y el Odio; en pie, como uncidas, la Ceguera y la Ignorancia; delante, la esfera del mundo rodeada por el Mal en forma de serpiente que se muerde la cola.

Los modelos están ejecutados con minuciosidad y muy acabados dentro de la resuelta técnica del pintor; no son propiamente bocetos.

Poseyó las tablas del Prado don Luis Menéndez de Haro y las adquirió Carlos II en la almoneda realizada a la muerte de su hijo el marqués de Eliche, virrey de Nápoles. En 1694 se registran en el inventario regio. Estuvieron en el Prado, en el Retiro y en Palacio. El Museo del Prado conserva ocho y la copia de otro, y desde junio de 1956 los tiene expuestos en una sala. Fuera de las tablas del Museo no se conoce más que otra para la misma serie: *Elías y el ángel,* del Museo de Pau.

220

PEDRO-PABLO RUBENS, 1577-1640

MARÍA DE MÉDICIS, REINA DE FRANCIA　　　　　*Escuela flamenca*

Número 1685　　　　　　　　　　　　　　　Lienzo. 1,30 × 1,12

Elígese este cuadro de Rubens entre los que posee el Prado por ser, en verdad, excepcional. El enorme pintor barroco, el más fecundo creador de formas y composiciones que haya habido en las artes del dibujo; el artista que, justamente para María de Médicis, pintó en su palacio de Luxemburgo (París) la serie más exuberante de lienzos de la historia de la pintura, en este retrato de su más generosa protectora demostró cómo sabía prescindir de exterioridades y de adornos y al figurarlo sobre fondo deshecho, sentada, de frente, vestida de negro, hizo que perdure, secularmente, la florentina enérgica y hábil que en 1600 casó con Enrique IV de Francia. El lienzo está pintado con la sencillez y la suprema maestría con que lo hubiera pintado un artista sobrio y austero como Velázquez.

El rostro, las manos, el escote, la cabellera son prodigios de técnica, como el hilo de perlas y los pendientes y el cuello y los puños. El alma de la reina ha quedado prendida en el retrato. El negro del traje evoca también los negros velazqueños.

El lienzo, pintado entre 1622 y 1625, impulsa a pensar en la relación que entablaron en 1628-1629, en la Corte de España, Rubens y Velázquez cuando, seguramente, el pintor flamenco, en la cima de su fama, aleccionaría con consejos al joven sevillano.

El cuadro, que Rubens reservó para sí, como estudio íntimo, se vendió a su muerte, en 1640. Según M. Maeyse, consta que fue traído a Madrid en 1656; desde luego, se registra entre las pinturas del Alcázar en 1686.

Otras diez pinturas del maestro, genial creador de un mundo artístico, reproducidas en las páginas 296-7, no son suficientes para medir la importancia del cuantiosísimo e incomparable conjunto de las obras suyas propiedad del Prado. Rubens dominó todos los géneros que cultivó.

El pintor estuvo en la Corte de Felipe III desde el 23 de abril hasta fines del año 1603; y en la de Felipe IV, desde septiembre de 1628 hasta el 29 de abril siguiente. En Flandes pintó para los archiduques Isabel Clara Eugenia y Alberto, para el cardenal infante Don Fernando y para Felipe IV; tan extensos servicios explican la afluencia enorme de sus cuadros a España.

PEDRO-PABLO RUBENS, 1577-1640

<small>DIANA Y SUS NINFAS SORPRENDIDAS POR FAUNOS</small>   *Escuela flamenca*

Número 1665   Lienzo. 1,28 × 3,14

Cazaba Diana con sus ninfas en un bosque, pues se ven a la izquierda un zorro y un venado y a la derecha un jabalí; cuando reposaban descuidadas, son sorprendidas por cuatro faunos que pugnan por apoderarse de las jóvenes. La diosa se apresta a lanzar la jabalina para ahuyentar a los audaces caprípedes, atacados, además, por un perro.

La línea sinuosa de la composición, distribuidas las figuras a la manera de un friso, suministra uno de esos ejemplos que a veces se observan en la pintura, de predominio de lo rítmico, por lo que parece como si el dibujo y el color adquiriesen, ficticiamente, calidades musicales; después de todo, también el arte de la danza participa de dibujo, modelo, color y sonido. El valor decorativo del cuadro se impone sin necesidad de que se subraye.

Rubens, en este lienzo hace patente sus dotes de colorista mediante el juego de tintas suaves.

Los críticos de fines del siglo pasado, en que se acostumbraba a exagerar la colaboración de discípulos en los cuadros de Rubens, señalaban como del pincel de Jan Wildens el fondo y los animales; hoy la tendencia es más bien la contraria, mantenida por Van Puyvelde, que recaba para el maestro casi toda su producción.

Se fechaba por los críticos el lienzo en los últimos años del pintor, 1636-1640, pero ya en 1636 se registró en el Alcázar de Madrid en la "Pieza grande antes del dormitorio de S. M. que es donde cena en el cuarto bajo de verano". Estuvo, con los demás cuadros "de desnudo", en la Real Academia de Bellas Artes de San Fernando. En 21 de abril de 1863 se trasladó al Real Casino; después fue devuelto al Museo y debióse a don José Villegas, siendo director, la valoración como obra original de Rubens, aunque creía que los perros habían sido pintados por Paul de Vos.

LA ZORRA Y LA GATA

Escuela flamenca

Número 1755

Lienzo. 1,81 × 1,03

Otro de los fondos notables del Prado, que no se encuentra tan abundante en los museos de su categoría, es el formado por cuadros de Snyders: veintidós de calidad excelente, que obligan a la visita a Madrid a quienes deseen conocer al gran animalista en sus dos aspectos, de pintor de caza y de fábulas esópicas, aunque también pintó conciertos de pájaros y naturalezas muertas, sin eludir la figura humana. De reciente, se ha intentado realzarle, excesivamente, a expensas de Rubens, empeño que, como era lógico, no ha tenido éxito.

El cuadro, escogido por la variedad de animales que en él se agitan y por el acierto grande en la composición, da idea clara de las dotes artísticas del autor. Ordena el árbol, según costumbre, la distribución de los animales. En el suelo, la zorra que sujeta la liebre en que ha hecho presa, "contesta" con gañidos a los maullidos de la enfurecida gata, subida al tronco; por las ramas corren dos ardillas y dos armiños y un mono espectador y, en el ángulo inferior de la derecha, juegan cinco gatitos, mientras otro se dirige hacia el grupo de la vulpeja y la liebre.

El conocimiento de la forma, actitudes y pelajes de los animales, sumado al buen arte de componer y a la luminosidad del fondo de paisaje, producen una pintura de grata contemplación y de valor decorativo.

El lienzo está firmado entre los gatitos.

En 1794 estaba en el Palacio de Madrid.

En el Prado se admira la maestría de Snyders no sólo en la pintura de animales vivos y muertos, sino también en profusas acumulaciones de alimentos, dispuestas como "mesas" y "despensas", en las que no faltan piezas de vajilla y utensilios ejecutados con pasmosa verdad. En ocasiones, como en *La frutera,* una vigorosa mujer avalora el conjunto; en otras, una pelea entre un gato y un perro, como en *Mesa,* aumentan la importancia del "bodegón", que adquiere vibración vital. En la página 298 se reproduce *El descubrimiento de Filopómenes,* obra de Adriaen van Utrecht (1599-1652), ejemplo el más complicado del género de naturaleza inanimada con figuras.

ANTONIO VAN DYCK, 1599-1641

EL PRENDIMIENTO   *Escuela flamenca*

Número 1477   Lienzo. 3,44 × 2,49

Es una de las más perfectas composiciones barrocas, por lo que causa admiración fuese conseguida por un joven casi adolescente. Había hecho Van Dyck varios dibujos para partes del cuadro y lleva uno de ellos el nombre *Ticiano,* que se ha interpretado que tendría a la vista un cuadro o un dibujo ticianescos perdidos hoy. Pintó primero un boceto de la colección Cook (en Richmond), luego un lienzo con el mismo asunto para una iglesia de Brujas. Al parecer, le gustó tanto a Rubens que le encargó el desarrollo en un gran lienzo, que conservó en su casa hasta su muerte; dícese que lo tenía encima de la chimenea del salón más importante. El rey Felipe IV lo compró en la venta famosa que se hizo cuando murió el gran artista y pagó por él no menos de 1200 florines. Se sigue su historia en los Palacios Reales a partir del inventario del Alcázar de Madrid de 1666.

El tropel de los soldados que llegan para prender a Jesús se ilumina con las antorchas que empuñan, dejando en tinieblas gran parte del huerto; el rostro del Señor, así como sus pies, quedan en la zona de luz; también es muy visible el cuerpo del discípulo traidor, que está de espaldas; con valentía colocó el pintor en primer término la actitud violenta de san Pedro, que blande la espada para cortar la oreja a Malco; mediante estas dos figuras, la diagonal, ordenadora de las composiciones barrocas, se traza vigorosamente.

La entonación general del cuadro es muy caliente.

En 1666 estaba en el Alcázar de Madrid; después de su incendio pasó al Retiro y, más tarde, al Palacio Nuevo.

Además del género religioso, cultivó Van Dyck el mitológico, mas en ninguna rayó a tanta altura como en el retrato.

Su vida fue corta —cuarenta y dos años—, de los que invirtió larga parte con estancias en Inglaterra, en donde murió.

ANTONIO VAN DYCK, 1599-1641

SIR ENDIMION PORTER Y EL PINTOR

Escuela flamenca

Número 1489

Lienzo. 1,19 × 1,44

Van Dyck satisfacía sus ansias de elegancia y buen tono cultivando la mejor sociedad y había hecho amistad con un personaje inglés, aunque nacido en Madrid. Llamábase sir Endimion Porter, y el duque de Buckingham, al que servía como secretario especializado en asuntos españoles, habíale hecho venir a la Corte de Felipe IV en 1622, cuando los tratos para la fracasada boda de Carlos I de Inglaterra con doña María, hermana del rey de España. Además, sir Endimion era aficionado a las Artes y coleccionista. Murió en 1649. El pintor debió de sentirse complacido al poder autorretratarse con un noble de tan elevada calidad.

Todo en el lienzo es elegante, si bien con elegancia diferente de la de Velázquez. En el cuadro resaltan la apostura de las actitudes, los trajes, el fondo de paisaje, la cortina, la columna: el repertorio que quedó establecido para los retratos cortesanos del resto del siglo XVII y del siguiente.

Fue Van Dyck, en realidad, el padre de la escuela inglesa de pintura y en ningún cuadro mejor que en éste puede comprobarse con claridad.

La fecha en que se pintó debió de ser hacia 1623.

Fue adquirido por Isabel Farnesio, segunda mujer de Felipe V; se registra en el Palacio de la Granja de San Ildefonso en 1746.

Alguna idea de la maestría y variedad de los retratos de Van Dyck cabe formar por los tres que se reproducen en la página 297; el del pintor *Martín Ryckaert*, que era manco de la mano izquierda; el del organista *Enrique Liberti* y el de la *Marquesa de Leganés*, hija de Ambrosio Espínola, el de *Las lanzas*. Este último lienzo lo pintó Van Dyck en Génova (1621-22).

JACOB JORDAENS, 1593-1678

Tres músicos ambulantes

Escuela flamenca

Número 1550

Tabla. 0,49 × 0,64

La posición de Jordaens, contemporáneo de Rubens y de Van Dyck, era poco propicia para concretar una personalidad con trazos bien definidos; por ello hay pinturas acerca de las cuales se originan dudas de atribución; así, respecto de *Los desposorios místicos de Santa Catalina,* del Prado, que varias autoridades en pintura flamenca creen es de la mano de Van Dyck. Sin embargo, hay obras en que la factura acredita de manera indubitable su atribución, al menos para mí: ejemplo claro es el de la tabla *Tres músicos ambulantes,* pintura dudosa para Max Rooses y para Hysmans, que arguyen que no se encuentran sus modelos en las obras seguras de su mano. El segundo sugiere el nombre de Van Dyck. Cuando se examina la tabla atentamente, no deja lugar a dudas, tanto se aparta de la técnica, bien conocida, del gran retratista. Las figuras están construidas con una rapidez y amplitud de pincelada que nunca se da en Van Dyck y que tampoco tiene nada que ver con el toque de Rubens, ni siquiera cuando aboceta. Se advierte en ellas como si hubiese mediado en su concepción un empeño de hacer arte impresionista; así, no es de extrañar que en algún libro sobre las tendencias pictóricas del siglo XIX se haya publicado la reproducción de esta tabla como misterioso antecedente desligado. El realismo con que está interpretado este juvenil trío es, dentro de la producción de Jordaens, algo como el retrato de María de Médicis dentro de la ingente de Rubens; pero, por ser ambos excepciones, merecen ponerlas de resalto.

No se reconoce esta tabla en los inventarios reales; sólo se sabe que fue llevada al Museo en 1827.

De los demás cuadros de Jordaens en el Museo sólo se reproducen (v. pág. 298) *La familia del artista,* magnífico alarde de pintor de retratos, y *Diana y ninfas después del baño,* muestra personal en el género mitológico, con la particularidad de que la arquitectura está inspirada en la de la casa en Amberes de su maestro Rubens. Las tres pinturas mencionadas revelan facetas diversas del temperamento del fácil pintor y ninguna es de las más repetidas en su producción, que suelen ser las de exuberancia y menor estudio.

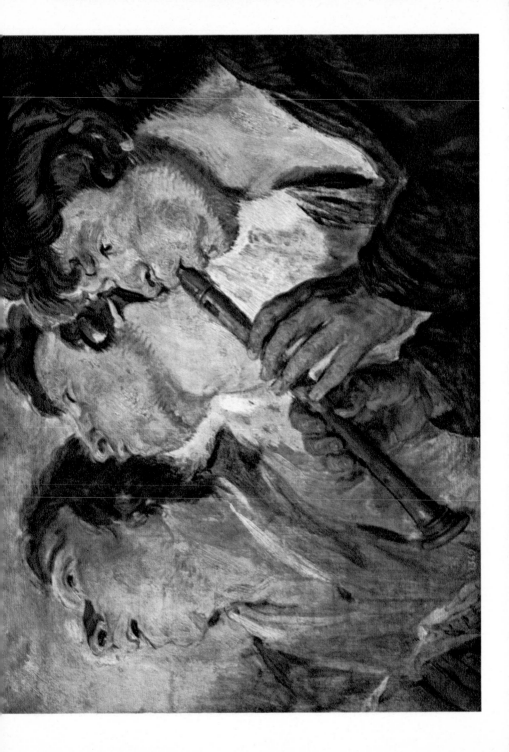

JACOB JORDAENS, 1593-1678

Meleagro y Atalanta   *Escuela flamenca*

Número 1546   Lienzo. 1,51 × 2,41

El pintor de Amberes, en tantos rasgos discípulo primero y luego seguidor de Rubens, trata con franqueza y pincelada decidida el tema mitológico
de Meleagro y Atalanta. Muerto el jabalí enviado por Diana contra el rey
Oeneo de Calidonia, porque no le dedicaba sacrificios, Altea regaló la presa
a Atalanta, por haber sido quien primero la hiriera; pero los hermanos de
Altea hubieron de arrebatárselo. En el lienzo, Atalanta contiene a Meleagro, entristecido por la mala acción. La historia termina con la muerte de
los culpables por el héroe.

H. Kurt Z. von Manteuffel ha demostrado que la mitad izquierda se
agregó años después, en trozo de lienzo cosido al primitivo —según Max
Rooses, pintado hacia 1628—; la adición parece evidente. El grupo de los
cazadores se dirige contra los que se apoderaron de la pieza, y los perros
muestran ansia por lanzarse. La intensidad del color exalta la fuerza decorativa de esta pintura, pese a que, por lo expuesto, la composición se
resienta de falta de unidad interna.

Es probable que fuese adquirida en tiempo de Felipe V, porque se
registra en el inventario de La Granja en 1746; pasó luego a Aranjuez,
de donde se llevó al Museo.

El lienzo acredita las cualidades más reiteradas en la producción de
Jordaens: seguidor de Rubens, pero con acento personal. Como creador
carece del genio del maestro. En su factura, el colorido, caliente y brillante, aventaja a casi todos los pintores de su tierra. Flaqueaba en ocasiones
su buen gusto al buscar el aplauso del vulgo con exageraciones en tipos
y actitudes.

235

DAVID TENIERS, 1610-1690

LAS TENTACIONES DE SAN ANTONIO ABAD   *Escuela flamenca*

Número 1821   Lienzo. 0,79 × 1,10

Una predilección declarada de la reina Isabel Farnesio, de la que también, en menor grado, participó su nieto Carlos IV, aportó a las colecciones
reales gran cantidad de cuadros de David Teniers, aunque ya no faltasen
en ellas algunos ejemplares cuando reinaba Felipe IV; como, seguramente,
el que aquí se comenta.

La pintura de interior con tipos populares —bebedores, jugadores, soldados, cortesanas...— aparece en la Flandes católica casi al mismo tiempo
que en la Holanda protestante aparece la pintura hogareña, en la que a
los personajes no les reúne dentro del cuadro anécdota alguna dramática
ni regocijada; los holandeses están en esas pinturas, sencillamente, *vivien-
do;* arte de lo cotidiano, sin emociones perturbadoras.

Como las circunstancias políticas y bélicas distanciaron a Holanda de
España, ha sido muy escasa la relación artística entre los dos países y el
gusto por la pintura costumbrista hubo de ser satisfecho mediante cuadros
de Teniers y de otros pintores flamencos. Motivos los reseñados que explican la abundancia de obras suyas en los palacios de Austrias y Borbo-
nes; treinta y nueve posee el Prado.

Pero Teniers es pintor de dotes diversas, por cuanto cultivó el paisaje
con maestría, manejando con soltura los grupos que lo animan, y fue diestro en pintar cuadros "de galerías", y en su serie *Juegos de monos* hizo
gala de humor y fantasía. Ambas cualidades están patentes en las pinturas
que tienen por asunto *Las tentaciones de San Antonio,* en las que resu-
cita algo del espíritu de El Bosco. En el que se reproduce se ve cómo el
realismo en los pormenores colabora, por contraste, al efecto fantástico
que el artista ha pretendido causar sobre el contemplador. La pericia de
Teniers en el manejo del dibujo y del colorido es muy grande. Súmese a
cuanto va dicho una rara conciencia de su oficio, para lo cual no hay
parte alguna del cuadro que haya de estudiarse menos que otra; un vaso
de vidrio, un puchero de barro, una vasija de azúfar son para el pintor
tan merecedores de atención como los rostros y los cuerpos de los personajes.

El lienzo está firmado, pero sin fecha, como tenía el artista por costumbre.

Debió de entrar la pintura en el Alcázar de Madrid en vida del autor.

GERRIT VAN HONTHORST, llamado
"GHERARDO DELLA NOTTE", 1590-1656

LA INCREDULIDAD DE SANTO TOMÁS   *Escuela holandesa*

Número 2094   Lienzo. 1,25 × 0,99

Al hablar de cuadros holandeses quedó anotado el porqué de su escasez en las colecciones regias de España.

La incredulidad acerca de la resurrección de Cristo, que turbó el espíritu del apóstol Santo Tomás, alejado de sus compañeros en varios de los
acontecimientos que siguieron a la pasión y muerte del Redentor, está
interpretada por el artista con dramática violencia. La acentúa la técnica
tenebrista con que está ejecutada la composición. Honthorst residió en
Italia; ya allí adquirió nombradía, coincidiendo con la época en que el te-
nebrismo imperaba en los talleres de pintura. Por ello el cuadro es ejemplo
excelente de una manera que tuvo tanta trascendencia en el desarrollo
artístico, con la aparición del realismo y el papel de la luz como protagonista de la obra pictórica.

El historiador del arte tenebrista en Holanda, A. von Schneider, en
libro publicado en 1933, niega a Honthorst este lienzo, que atribuye a
Mathäus Stomer, que en Roma fue su discípulo (hacia 1615-después de
1650); de él posee el Prado *La caridad romana*, al parecer, firmado, y con
características que no persuaden sean los dos cuadros de una misma mano.
Los pintores del norte que aprendieron en Roma la técnica caravagesca se
confunden, a menudo, entre ellos y, a veces, con los italianos.

El cuadro se salvó en el incendio del Alcázar de Madrid, ocurrido
en 1734; en 1772 estaba en el Palacio Real.

Si bien se hayan suscitado dudas sobre la interpretación de este lienzo, vale la tradicional para explicarlo razonablemente. A la reina de Caria, lujosamente vestida y en actitud majestuosa, preséntale su joven sirviente en una concha de nautilos, montada en orfebrería, las cenizas disueltas de su esposo Mausolo, que se dispone a beber; al fondo, una vieja, visible merced al magistral claroscuro.

Si Artemisa es retrato de Saskia van Uylenborch, que casó con Rembrandt en 1634, precisamente el año en que, ostentosamente, está firmado el cuadro —de lo que se ha deducido que se pintó como tributo a la fidelidad conyugal—, o si no traduce sus rasgos fisonómicos, según sostenía el director del Museo de Amsterdam, Schmidt-Degener, son circunstancias que pueden añadir, o restar, interés anecdótico a la pintura. Su mérito es notorio, proclamado por el mismo conocedor del arte rembrandtiano, que considera el lienzo como el más valioso entre los de su fecha.

Debe consignarse que los dos retratos de Saskia, sin duda y que se suponen del mismo año, los de los museos de Cassel y de Dresde, dan impresión más juvenil y más propia de la edad que entonces tenía, 22 años.

El lienzo figura entre los veintinueve escogidos por Carlos III, en 1769, en la venta hecha de las pinturas pertenecientes al marqués de la Ensenada, uno de los mejores ministros de Fernando VI. En 1772 se registra en el inventario de Palacio.

Una de las lagunas en los tesoros del Prado es que del enorme pintor holandés no tuviese, hasta 1941, más que el lienzo que aquí se reproduce. En el año mentado se adquirió un *Autorretrato,* pintado entre 1660 y 1663. Aunque semejante al de Lord Iveagh, de Londres, el examen con rayos X acredita que no es copia, pues se puede seguir la elaboración del cuadro.

240

NICOLÁS POUSSIN, 1594-1665

PAISAJE

Escuela francesa

Número 2310

Lienzo. 1,20 × 1,87

Vio Poussin los alrededores de Roma con emoción represada y, sobre recuerdos y apuntes parciales, construyó paisajes no ceñidos a una realidad concreta. Somete sus datos a reelaboración reflexiva; opuesta a toda "impresión". Sus paisajes con monumentos —también casi siempre reelaborados— están inmersos en melancolía. Las figuras que, relativamente, los animan pudieran reemplazarse por estatuas, y viceversa. La poesía de lo pasado y la belleza formal penetran en el espíritu del contemplador. No es pintura que pueda ser nunca popular.

El ejemplo escogido entre los cinco paisajes de Poussin que posee el Museo —por su número y su calidad colección excepcional—, el mayor de todos ellos, pinta un valle por el que se abre paso un río; varios edificios esparcidos y figuras y figurillas de pastores.

La tonalidad dominante en estos paisajes es la del gris amarillento, que refuerzan, por contraste, los azules.

En la página 300 de este libro se reproducen otros dos —y por equivocación se repite el que aquí se comenta—; mediante ellos cabe formar idea de la concepción poussinesca clasicista de la naturaleza impregnada de una melancolía que cautiva al contemplador de estos lienzos. Poussin paisajista es más severo eliminador de halagos para los ojos que Claudio de Lorena.

Se fecha este lienzo hacia 1650. Poussin vivió muchos años en Roma y allá murió.

Adquirido para Felipe V, se registra en el inventario de La Granja de 1746. Ya aparece en el *Catálogo* del Prado de 1828.

CLAUDIO DE LORENA (CLAUDIO GELLÉE, LE LORRAIN),
1600-1682

PAISAJE CON LA MAGDALENA

Escuela francesa

Número 2259

Lienzo. 1,62 × 2,41

Por ser artista inserto en la relación pictórica italiana y flamenca, sus paisajes fueron mejor comprendidos en España, en particular por Felipe IV y sus pintores, que los poussinescos. Por eso no choca que en su *Liber veritatis,* donde dibujaba, para memoria, los cuadros que había pintado, haya varios con la nota de que los ejecutó para el rey español. En Madrid mismo y en vida de Claudio, Benito Manuel de Argüero, discípulo de Mazo, pintaba lienzos con paisajes y figuras, algunas mitológicas que, en disposición, proporciones y carácter —no en luz ni en técnica ni en mérito— evocan los del francés.

En los paisajes de Gellée la luz viene del fondo casi siempre, para conseguir la oquedad y profundidad barrocas mediante los sombríos costados con masas. El que se reproduce es ejemplo típico. El bosque denso, donde la penitente adora el Crucifijo, se abre a un valle que ilumina la luz del alba. Se dirá que hay algo de teatral en la construcción del paisaje, pero, gracias a ello, la tensión vivifica el lienzo entero, aunque sea de la amplitud de éste. La luz en Lorena nunca es fría como la de Poussin paisajista.

El *Catálogo* del Museo de 1920 afirma que este cuadro se pintó para Felipe IV; no creo que conste en el *Liber veritatis.* En la Albertina de Viena se conservan dibujos para este cuadro. Se cataloga, con elogios desusados, en 1828, en el Museo del Prado.

Sin embargo, que fuese encargo del Rey de España parece que lo confirma el hecho de que el *Paisaje con las tentaciones de San Antonio Abad* —del Museo y reproducido en la página 301— corresponda al número 34 del *Liber veritatis,* donde se lee la referencia "Felipe IV" y viene a tener medidas iguales a *La Magdalena,* que repite *El paisaje con un anacoreta,* asimismo reproducido en la página 301.

CLAUDIO DE LORENA (CLAUDIO GELLÉE, LE LORRAIN), 1600-1682

PAISAJE: EMBARCO EN OSTIA DE SANTA PAULA ROMANA   *Escuela flamenca*

Número 2254   Lienzo. 2,11 × 1,45

Tarea importantísima fue la encomendada a Claudio de Lorena por Felipe IV de pintar un juego de cuatro lienzos, dos con temas de Sagrada Escritura: *Moisés salvado en el Nilo* y *Tobías y el arcángel Rafael* y, otros dos, de hagiografía romana: *Entierro de Santa Serapia* y *Embarco de Santa Paula*. De los cuatro, tres constan en el *Liber veritatis* (núms. 47, 48 y 50) donde el pintor conservaba con dibujos el recuerdo de casi todo cuanto había trabajado.

Por las construcciones clásicas y por las figuras y, sobre todo, por el enlace perfecto de unas con otras, y lo admirable de la luz, considérase obra capital *El embarco*. Desde el primer término, con las gradas del embarcadero, por las que desciende la Santa acompañada de los suyos, hasta el fondo donde ofusca la luz, se establece una continuación en profundidad no conseguida, como en otros paisajes, por la sucesión de planos independientes, a la manera de telones, sino lograda por la luz, que funde y unifica. Dentro del género de paisaje barroco, irreal, compacto, es pieza extraordinaria.

La correspondencia y engarce de las figuras con los demás elementos del cuadro convence de que son de mano de Gellée, contra su costumbre de encargar a Filippo Lauri, o a Jacques Courtois, que se las pintasen.

En una lápida, el letrero: *Imbarco Sta. Paula Romana per Terra Sta.* Y en un sillar se lee también: *Portus ostiensis A/ugusti/et Tra/jani.*

Se menciona el lienzo en el siglo XVIII en el Buen Retiro. Consta ya en el *Catálogo* del Prado en 1828.

Dos de los lienzos compañeros de éste: *Moisés salvado en el Nilo* y *Entierro de Santa Serapia,* se reproducen en la página 301. El juego constituido por los cuatro paisajes, por alto, es de los más bellos y magistrales, por lo luminoso, de cuanto pintó Claudio de Lorena.

JEAN ANTOINE WATTEAU, 1684-1721

FIESTA EN UN PARQUE *Escuela francesa*

Número 2354 Lienzo. 0,48 × 0,56

Introdujo el exquisito artista en el género de fiestas populares, cultivado por los pintores flamencos a lo largo del siglo XVII, un sentimiento poético y refinado que separa sus obras de cuantas le precedieron y enriquece el arte dieciochesco con sus más preciados distintivos. Su sensibilidad, enfermiza muchas veces, aflora en sus pinturas y en sus dibujos.

Los dos preciosos cuadritos del Prado figuran ya a nombre de Watteau pocos años después de su muerte en la colección de Isabel Farnesio, reunida en La Granja de San Ildefonso (1746). Y, según M. J. Methey, se conservan dibujos para algunos de sus grupos. Dedúzcase, por tanto, la infundada suposición formulada hace algún tiempo de que eran pinturas de Quilliard (¡¡!!).

En el cuadro reproducido todo colabora a la impresión poética: el escenario frondoso y sombrío —¿Saint Cloud?—, las fuentes de mármol con las estatuas de Ceres y de Neptuno; las parejas de jóvenes; la gracia y elegancia de los trajes; la luz fina y matizadora.

La sensibilidad de Watteau se revela en que no hay línea ni masa inertes, sin vibración; por eso, con ser artista sobre el que se ha "literatizado" mucho, los valores plásticos y táctiles de sus obras actúan directamente sin necesidad de explicación.

El cuadro, según queda dicho, estaba en La Granja en 1746; en 1794, en Aranjuez, y en 1814 en el Palacio Real de Madrid.

Su pareja, *Capitulaciones de boda y baile campestre,* está más próxima del género aludido y del cual son modelos, también en el Prado, los lienzos de Jan Brueghel "de Velours" de los cuales queda hecha referencia. La deliciosa pintura de Watteau seduce por lo caliente del colorido y por la atmósfera como dorada, propicia al desarrollo del tema. Tanto los que bailan como los demás grupos visten con elegancia y el tono de "fiesta galante" caracteriza la escena.

GIOVANNI BATTISTA TIÉPOLO, 1696-1770

EL OLIMPO   *Escuela veneciana*

Número 365   Lienzo. 0,86 × 0,62

Llegó el último de los grandes pintores venecianos a Madrid en 4 de
junio de 1762, donde había de morir. Vino traído para pintar los techos
del Salón del Trono y de la Sala de Guardias del nuevo Palacio Real, y
terminadas estas obras capitales quedó en la Corte de España, pintando
cuadros religiosos al óleo. Pero, sin duda, no dejó de hacer bocetos para
decoraciones al fresco, puesto que en Palacio restaban desnudas muchas
bóvedas. Es muy probable que éste, muy luminoso, se pintase en previsión
de un encargo, como otros conservados en diversos lugares.

El asunto no parece que tenga argumento, sino que será una mera
composición libre con figuras de dioses y diosas, reconociéndose entre ellas
a Saturno, Minerva, Venus, Diana, Juno, Júpiter y Mercurio, agrupados
en la disposición espiral preferida por el artista. El cielo es profundo y
claro y se aprovechan las nubes como elementos "constructivos" del cuadro. El color, tan bello y gayo como en los mejores frescos del autor.

El lienzo estaba ya en el Museo del Prado en 1834, por lo que se infiere que procederá del Palacio Real, reforzándose la suposición de que
habría de ejecutarse como estudio de un techo del mismo edificio.

En la página 302 se reproducen dos de los cuadros religiosos a que
arriba se alude: *Abraham y los tres ángeles* y *La Inmaculada Concepción.*
El segundo, muy hermoso, formó con otros seis la decoración de la iglesia
de San Pascual de Aranjuez, retirada cuando se impuso la "dictadura artística" neoclásica. El Prado poseè cuatro de esta serie, uno de ellos —el
del altar mayor— en dos pedazos que no lo completan. Es sabido que al
ser sustituido por una pintura de Mengs, del mismo asunto, se procedió
con violencia lamentable.

GIOVANNI PAOLO PANINI, 1691-1765

JESÚS Y LOS MERCADERES DEL TEMPLO   *Escuela italiana*

Número 278   Lienzo. 0,40 × 0,63

Panini, hoy de moda, por sus poéticos cuadros de ruinas clásicas, cultivó con éxito otros géneros, como el religioso, aun sin abandonar sus arquitecturas predilectas.

Entre 1735 y 1738 se tramita una negociación para que Panini pinte cuatro pasajes evangélicos, que habían de ser el adorno principal de un salón del palacio de La Granja de San Ildefonso. El artista ejecuta dos bocetos —uno de ellos el que se reproduce—, mas el arquitecto Filippo Juvara en el primero de estos años modifica el plan y los cuadros definitivos quedan sin pintar. Carlos IV adquirió los bocetos.

Panini concibe el Templo de Jerusalén con la exageración de formas esperable: el Sancta Sanctorum es redondo, de dos cuerpos, con arcos de medio punto; en su centro se ve el Arca de la Alianza y, al lado, el candelabro de los siete brazos; precede una cuádruple columnata, cual la de Bernini en la plaza de San Pedro y el pórtico de gruesas columnas salomónicas. En este pórtico, con escalinata, se agitan los mercaderes a los que el Señor expulsa del lugar sagrado a disciplinazos.

La escena presenta las notas de teatralidad que requerían los gustos de la época en que se pintó, con caliente colorido.

Está firmado: *I. P. P.*

En 1818 estaba el lienzo en Aranjuez y en 1848 pasó al Museo del Prado.

El lienzo compañero representa *La disputa de Jesús con los doctores*, lleva la misma firma, y está compuesto con el mismo lujo de elementos arquitectónicos semifantásticos. Panini, en muchos aspectos, anticipa la imaginación de los pintores románticos; cada vez se advierte con mayor claridad cuánto debe el romanticismo a las Letras y las Artes del siglo XVIII.

ANTÓN RAFAEL MENGS, 1728-1779

María Luisa de Parma, princesa de Asturias   *Escuela alemana*

Número 2189   Lienzo. 1,52 × 1,10

Mengs nació en Aussig (Bohemia), pero, artísticamente, puede ser considerado como alemán. El neoclasicismo del que fue corifeo carecía de caracteres nacionales: la Academia en todas partes profesaba las mismas teorías y Mengs, además de artista, fue tratadista: "el pintor filósofo". Pasó en España casi diez años —1761-69 y 1774-76—; vino llamado para pintar al fresco bóvedas del Palacio Real de Madrid y alternando con ellas, y después, hizo muchos retratos y algunos cuadros religiosos.

Artista cortesano y, por tanto, halagador de sus modelos, hoy preferimos los de personajes no regios, o sus bocetos, que son magistrales y en los que Goya hubo de aprender. Se ha elegido el muy vivaz de María Luisa de Parma, que entró en el Prado hace pocos años, aunque parezca que contraría cuanto el pintor deseara que representase su estilo.

Es un admirable estudio del natural para el retrato, de cuerpo entero, del Metropolitan Museum de Nueva York, que perteneció al conde del Asalto. El dibujo, precioso para este cuadro, pertenece a la Colección Carderera.

María Luisa había nacido en 1751, casó a los catorce años con su primo carnal Carlos; el retrato por Mengs será de tres a cuatro años después. Los príncipes subieron al Trono en 1788 y reinaron hasta 1808. Murió la reina en 1819. Goya la retrató varias veces, casi siempre con implacable veracidad. Antes de ser vieja perdió el encanto que tuvo en su adolescencia y la edad la afeó; sin embargo, presumía de tener bellos los brazos y por eso, según cuenta la duquesa de Abrantes, obligaba a que se usasen guantes largos en la Corte, para evitar comparaciones.

Legado al Museo por el duque de Tarifa, ingresó en 1934.

Quien guste de comprobar la observación de cuánto más llenos de vida están los bocetos que las pinturas acabadas de Mengs, compare el que aquí se comenta con el bello, pero "aporcelanado", retrato de la misma reina María Luisa, en el Prado también. Otro, importante, es el solemne de *Carlos III armado,* reproducido en la página 302.

LUIS EUGENIO MELÉNDEZ, 1716-1780

BODEGÓN: UN TROZO DE SALMÓN, UN LIMÓN Y TRES VASIJAS

Escuela española

Número 902

Lienzo. 0,42 × 0,62

Un tópico, muy repetido, que nace de falta de conocimiento de la época, afirma la muerte de la pintura española con el siglo XVII; la esterilidad de la misma durante la primera mitad del siglo XVIII y su triunfal resurrección mediante los pinceles de Goya. No puede razonarse en esta ocasión cuán inexactos son tales asertos, pero bastaría mencionar obras de Luis Meléndez —nacido treinta años antes que Goya— para refutarlos. Y entre sus obras el magnífico retrato juvenil del Museo del Louvre, fechado en 1746.

Sin embargo, Meléndez, aunque haya ejercido como pintor de géneros diversos, su personalidad, con fama creciente, hubo de proporcionársela el de las "naturalezas muertas". A juzgar por las fechas, el cultivo de este género lo emprendió en la madurez, porque ninguno parece anterior a 1760. El que se reproduce está firmado en 1772.

En los numerosos lienzos de Meléndez la honradez del oficio y el estudio reflexivo son constantes; jamás se advierte precipitación ni frivolidad. En todos subordina, conscientemente, a una fruta, a un ave, a un trozo de pescado o de carne, a una caja de dulce, a los que confiere "el valor de protagonista" —en este caso el trozo de salmón—, el resto de los elementos compositivos. Con ello consigue unidad y concentración. La técnica de su tiempo exigía el logro de una superficie esmaltada con menoscabo del sentido pictórico, que Goya había de restaurar, incluso en sus soberbios *Bodegones*.

Este cuadro, como todos los de la misma serie, fue pintado para el Palacio de Aranjuez (1760-72) con destino a formar "un divertido gabinete con toda la especie de comestibles que el clima español produce", según el mismo pintor declara en un memorial de 1772.

En la actualidad, la fama de Meléndez está en auge; sus "naturalezas inanimadas" se aprecian hasta el punto de que se le denomina "el Chardin español". Su sensibilidad y su espíritu constructivo, por coincidencia no buscada, muestran algunas notas que hacen recordar a Van der Hamen y a Zurbarán.

FRANCISCO DE GOYA Y LUCIENTES, 1746-1828

LA VENDIMIA   *Escuela española*

Número 795   Lienzo. 2,75 × 1,90

En la cuantiosa tarea realizada por Goya para suministrar modelos, mal llamados "cartones" porque son telas, para la Real Fábrica de Tapices, resalta por su unidad y por su mérito el grupo denominable "Las cuatro estaciones", en que prescindió de las alegorías, entonces al uso en el estilo académico, y bebió su inspiración en el natural. Fórmase el grupo por *Las floreras, La era, La vendimia* y *La nevada*, y se advierte superioridad en el primero y el tercero que constituyen pareja, como si Goya, que había sido nombrado pintor del rey Carlos III en 25 de junio de 1786, hubiese aspirado a esmerarse en aquel año, que fue para él de exultante optimismo al realizar este bellísimo juego.

El cuadro revela diversos aspectos de su genio; tanto el gusto por emplear en las composiciones figuras de mujeres y de niños, tratados con elegancia y viveza, como la verdad en reproducir con el pincel pámpanos y uvas, como la justeza de dar a la escena fondo amplio y luminoso, poblados con siete vendimiadores, bajo el sol de Castilla.

La pincelada extiende una tenue capa de color, que en ciertas partes deja sin cubrir la preparación rojiza del lienzo, por ejemplo, en las faldas femeninas y da volumen y apariencia de realidad a las telas.

El realismo goyesco no necesitaba la presencia directa del natural, por lo que no sorprenderá saber que, cuando se vendimiaba en los alrededores de la Corte, Goya asistía puntualmente, desde el 3 de septiembre de aquel año, a las juntas de la Academia, invalidando las suposiciones de que pasaba temporadas en el campo, para documentarse.

Este "cartón" se le encargó para modelo de una tapicería con destino al dormitorio de los infantes don Gabriel —que tradujo a Salustio— y doña María Ana Victoria en El Escorial.

En la página 304 se publican *El pelele* —que se pintó en 1791-92, esto es, al final de la etapa de Goya como proveedor de la Real Fábrica— y *Los zancos,* de igual período artístico, cuando, dueño de todos sus recursos técnicos, había logrado la máxima facilidad al tratar las escenas populares.

FRANCISCO DE GOYA Y LUCIENTES, 1746-1828

Doña Tadea Arias de Enríquez   *Escuela española*

Número 740   Lienzo. 1,90 × 1,06

No se tienen noticias de la vida de esta dama gentil, noble, a juzgar por sus armas, que nacería hacia 1770 y que casó con un caballero apellidado Enríquez. El pintor hubo de revelar afición y admirables dotes para los retratos femeninos, en particular en los decenios que limitan los años 1785 y 1805. Desde luego, que en su labor como "cartonista" para la Real Fábrica de Tapices se encuentran anteriores, deliciosas, figuras femeninas; baste recordar *La maja y los embozados, El quitasol, La gallina ciega,* etc.; no obstante, el retrato de dama sin aditamentos, escueto, pintado bajo la atracción física o temperamental, ejercida sobre el artista, puede decirse que arranca, en la producción goyesca, del de *La marquesa de Pontejos* —hoy en la National Gallery de Washington— fechable en 1786. Un antecedente cabría señalar a tan hermosa obra, *La marquesa del Llano,* de Mengs, en la Academia de Bellas Artes de Madrid.

La eliminación de cuanto es accidental en el retrato de *La marquesa de Pontejos* se acentúa en el de Doña Tadea, en el que sólo un jarrón levemente abocetado y ramajes evocan el jardín; se completa en el de *La Tirana* de la citada Academia y en el portentoso de *La condesa del Carpio,* gala del Museo del Louvre.

Según el conde de la Viñaza cobró Goya el retrato de *Doña Tadea* en 1793 ó 1794, vacilación extraña en escritor documentado y, como su técnica es indicio de fecha algo anterior, surge la hipótesis de que se pintase antes de la larga enfermedad del pintor, iniciada a fines de 1792, y se hubiese retrasado el pago, ocasionando dudas de documentación.

Según se advirtió al comenzar *La vendimia,* también en este retrato aprovechó el pintor la coloración rojiza de la imprimación para obtener transparencias delicadísimas, con leves blancos, valorados mediante el negro del gran lazo de gasa.

Quizá por la divergencia del rostro casi de niña con la refinada coquetería con que se calza el guante es figura que se graba en el recuerdo como una de las más seductoras creaciones pictóricas.

Regalado al Museo en 1896 por dos nietos de la retratada.

FRANCISCO DE GOYA Y LUCIENTES, 1746-1828

FRANCISCO BAYEU   *Escuela española*

Número 721   Lienzo. 1,12 × 0,84

Es el más elegante y espiritual de los retratos masculinos pintados por Goya en el siglo XVIII. Vale para hacer la comparación con los retratos ingleses coetáneos, muy pocos de los cuales vencen en el confronte. Hay en Goya una hondura en la captación del alma del retratado difícilmente alcanzada por otros pintores de su tiempo.

Francisco Bayeu nació en 1734 y murió en Madrid el 4 de agosto de 1795. Era pintor, tuvo dos hermanos pintores y una hermana que casó con Francisco de Goya. Pero, ya antes de emparentar, existía relación entre ellos, porque en 1770 Goya se declara en Italia discípulo suyo, aunque sea afirmación no demostrada. Disfrutaba Bayeu del título de Pintor de Cámara, puesto desde el cual podía proteger a Goya. Sin embargo, su trato se resintió a menudo; en particular, se agrió en 1781, con ocasión de los frescos para la iglesia del Pilar de Zaragoza. Años y triunfos suavizaron las asperezas.

En 1786 retrata Goya a su cuñado en el admirable lienzo del Museo de Valencia, y al morir éste, tomando, sin duda, por modelo el autorretrato, que fue del marqués de Toca, pintó en finísima tonalidad gris el que aquí se comenta. Semanas después de ocurrir su pérdida, presenta Goya el cuadro en la exposición que celebra la Academia de Bellas Artes de San Fernando. Su catálogo advierte que está "sin concluir"; debió de acabarlo luego, pues nada se echa en falta en su factura primorosa.

Goya sucedió a Bayeu en la dirección de Pintura de la Academia. Puede decirse que el discreto pintor Bayeu vive hoy, más que por sus obras, gracias a los dos soberbios retratos que le hizo su cuñado.

El lienzo fue adquirido para el Museo de la Trinidad por la suma de 400 escudos.

Para formarse idea de las condiciones de Goya como retratista, el lector, además del de Fernando VII en color, frente a la página 40, del de *Bayeu* y el precedente, tiene las reproducciones de los de *Carlos III, María Luisa, Fernando VII,* y del *Autorretrato* y la extraordinaria colección ordenada en el grandioso cuadro *La familia de Carlos IV,* reproducidos en la página 303.

FRANCISCO DE GOYA Y LUCIENTES, 1746-1828

RETRATO DE FERNANDO VII

Escuela española

Número 735

Lienzo. 2,12 × 1,46

Aunque el Rey porte manto regio y ostente el collar del Toisón y la banda de Carlos III —aparato desusado por los monarcas españoles, que vestían sobriamente—, se advierte en los rasgos tendencia caricaturesca, signo de la escasa admiración y el poco afecto que el pintor de cámara sentía por su Rey, que compensa muchos defectos por haber fundado el Museo del Prado.

El aparatoso lienzo es pareja, aunque haya ligera diferencia en las medidas, del que, también propiedad del Prado, figura al Rey en un campamento con caballos, soldados y tiendas de campaña.

Los dos retratos, con el análogo a aquel del Canal Imperial de Aragón, continúan la línea iniciada por el de Santander —documentado en diciembre de 1814—: en ellos Goya, primer pintor de cámara, cumple su deber de retratar al "Rey deseado" que vuelve del destierro; pero ya en el que se reproduce quizá se advierte distanciamiento.

No puede calificarse de objetiva la pintura de Goya en cuanto a los retratos se refiere.

Así como el arte excelso de Velázquez ennoblece a todos los modelos que posan ante él —niños, príncipes y enanos, infantas y bufones— por un mero goce de hacer noble y bello, parece que el arte del pintor aragonés aplica su disposición caricatural y crítica a los modelos que le desagradan, personas reales y personajes .más o menos encopetados, reservando, en cambio, todos los recursos de su arte para exaltar la belleza y elegancia de los modelos que le impresionaban favorablemente (la marquesa de Pontejos, los duques de Alba, la condesa de Chinchón, doña Isabel Cobos de Porcel, la librera de la calle Carretas, los duques de Osuna, el duque de Fernán-Núñez, Marianito Goya, doña Tadea Arias de Enríquez, Pepito Costa, Jovellanos...).

Pero es quizás al trasladar al lienzo a los personajes de la familia real cuando con mayor avidez se manifiesta el espíritu satírico de Goya.

En la docena de personas que posan de pie ante el artista para *La familia de Carlos IV*, sólo el pequeño infante don Francisco de Paula Antonio, retrato infantil precioso, se salva de la crítica corrosiva del pintor, que se manifiesta aún más descarnada en los retratos individuales de Carlos IV, María Luisa y Fernando VII en sus distintas versiones.

264

FRANCISCO DE GOYA Y LUCIENTES, 1746-1828

EL COLOSO O EL PÁNICO   *Escuela española*

Número 2785   Lienzo. 1,16 × 1,05

Goya toca lo fantástico cuando prepara la serie de *Los caprichos*, grabados que publica en 1799; en otra rápida excursión a esa esfera en 1787 pinta a *San Francisco de Borja con el moribundo impenitente*, para la catedral de Valencia. En las estampas mentadas lo fantástico está teñido de intención humorística, o sarcástica, sólo en casos aspira a conmover aterrorizando. También debe anotarse que sólo en dos *Caprichos* —números 3 y 52— emplea el tamaño desmesurado de una figura para causar efecto, mientras que, pasados años, el de las figuras gigantescas es recurso utilizado a menudo en la serie de estampas de los *Proverbios* o *Disparates*.

A mi parecer, el cuadro es de época intermedia entre *Caprichos* y *Disparates* y, probablemente, cercano al grabado suelto, que suele llamarse *El coloso* también, pero, en rigor, no se relaciona con el lienzo. Este ha de ser el que, nombrándolo *El gigante,* se registra en el inventario de los que poseía Goya en 1812.

Su asunto: la dispersión de gentes y ganados al aparecer sobre los montes y entre las nubes una enorme y temible figura, habrá de contener alusión a sucesos concretos, porque la huida sigue líneas como radiales, en cuyo centro está un asno inmóvil, indiferente a cuanto ocurre en torno suyo. El fantasma colosal, ¿es Napoleón?, ¿es una mera representación del miedo?, ¿es, todavía más simplemente, el acercarse de una tormenta? Creo que el asno y su actitud definen el carácter político del asunto: ¿la imprevisión de Carlos IV y sus ministros ante la amenaza exterior?

Las dudas interpretativas en nada disminuyen la emoción que el lienzo produce, por su ejecución valiente, casi podría decirse furiosa. Partes del cuadro han sido cubiertas por la pasta de color extendido con la espátula y hasta con el dedo; otras, en cambio, vibran con toques cortos y vigorosos del pincel.

El cuadro entró en el Prado con el legado de Fernández-Durán en 1930.

Este lienzo se relaciona con *Gentes acampadas en las afueras de un lugar,* que en 1941 estuvo en el comercio de Nueva York, y sobre el que luego, se suscitaron dudas acerca de la atribución. No es necesario consignar que el cuadro del Prado es una obra singular, y segura, de Goya.

FRANCISCO DE GOYA Y LUCIENTES, 1746-1828

SATURNO DEVORANDO A UNO DE SUS HIJOS   *Escuela española*

Número 763   Pintura mural al óleo pasada a lienzo. 1,46 × 0,83

Este horripilante asunto pictórico parece inexplicable que Goya lo hubiese destinado para el comedor de su Quinta, en la planta baja, emparejado con *Judith.* El artista septuagenario era juguete de aquellos "sueños de la razón" de que hablaba cuarenta años atrás en *Los Caprichos.*

No logran reducir la terribilidad de esta representación ni el extraño precedente de un cuadro de Rubens, asimismo propiedad del Prado, ni el gesto de amargo humor con que el tiempo devora los días, mas, si se vence la repugnancia que suscita el asunto y se contempla como obra del arte pictórico habremos de rendirnos ante esta extraordinaria profecía del "expresionismo".

Aunque a la serie de la Quinta, a que este cuadro pertenece, suele denominarse de "las pinturas negras", no es necesario advertir en casi todas el empleo de otros tonos, además del claroscuro.

Como queda dicho, el barón d'Erlanger donó la serie al Prado en 1881.

En ello alternan las más diversas inspiraciones, digámoslo así; temas clásicos cual el que se comenta y *Las Parcas;* bíblicos, como *Judith,* de brujería como *Aquelarre en el campo del Cabrón,* y el de las hechiceras que vuelan; de género; grotescas; terribles; misteriosas, intercalándose algunos inexplicables limpiamente. Los que Baudelaire llamaba "cauchemars" de Goya, encierran significados que no pueden penetrarse; quizá no por responder a pensamientos, sino por nacer de ensoñaciones calenturientas.

FRANCISCO DE GOYA Y LUCIENTES, 1746-1828

LA LECHERA DE BURDEOS   *Escuela española*

Número 2899   Lienzo. 0,74 × 0,68

Uno de los postreros cuadros del pintor y su último tributo al "eterno femenino", móvil principal de su arte, es esta figura llena de vida de la lechera que, a mujeriegas sobre un asno, llegaría a diario al número 39 del Cours de l'Intendence, en Burdeos, donde vivía y donde muy poco después había de morir el pintor.

Es sabido, como no habiendo sido precoz, Goya renovaba, prodigiosamente, su técnica en la ancianidad. Con alarde justo, firmaba a "los ochenta y un años" el retrato de su amigo Muguiro —propiedad del Prado— ejecutado con una factura que parece de medio siglo después. Todavía de técnica más avanzada es *La lechera*, lienzo en el cual la yuxtaposición de pinceladas de colores distintos parece un anticipo del "divisionismo". Pero, repárese en que estas novedades, casi inverosímiles, en la técnica, se emplean para la expresión del alma de los retratados, en la que ahonda el artista tanto o más que en sus obras de la madurez. No es la nueva técnica artificio que hubiese nacido para disimular flaquezas de vista o de pulso, sino resultado de una busca reflexiva de procedimientos, que se ajustasen mejor a la expresión de su sensibilidad. Se piensa en cuál hubiera llegado a ser la evolución del arte de Goya si en vez de morir de ochenta y dos años, se hubiese acercado a la existencia secular de Ticiano.

El 9 de diciembre de 1829, doña Leocadia Zorrilla, la mujer de vida y carácter extraños, que acompañaba a Goya en sus años de Burdeos, ofrece en venta el cuadro a don Juan Muguiro, el amigo del artista antes citado. Dícele que la necesidad le impulsa a desprenderse del lienzo y que Goya le aconsejaba que no lo cediese por menos de una onza —¡tres luises y cuarto!—.

El Museo ha heredado este admirable cuadro por legado del conde de Muguiro en 1946.

La última lámina de este libro sobre los tesoros pictóricos del Prado es cierre digno, pues donde tan preciosas enseñanzas para el arte pictórico se exhiben, *La lechera*, de Goya, es el cuadro que de manera más explícita marca el rumbo que hubo de seguir el arte.

SIGLOS XIV Y XV

TADEO GADDI

San Eloy, orfebre

San Eloy ante el rey Clotario

GIOVANNI DA PONTE

Las siete artes liberales

FRA ANGÉLICO

El nacimiento y las bodas de la Virgen

La adoración de los Magos

FRA ANGÉLICO

La Purificación

GIOVANNI BELLINI

La Virgen y el Niño Jesús entre dos santas

SANDRO BOTTICELLI

Historia de Nastagio

Historia de Nastagio

ANÓNIMO HISPANO-FLAMENCO

La predicación
de San Juan Bautista

La degollación
de San Juan Bautista

ANÓNIMO CASTELLANO

La Virgen y los Reyes Católicos

JAUME HUGUET

Un profeta

ANÓNIMO DE VALENCIA

La Virgen y el Caballero de Montesa

MIGUEL JIMÉNEZ

Prendimiento de Santa Catalina

Procesión de San Miguel

ESCUELA DE VAN EYCK

La fuente de la Gracia

PEDRO BERRUGUETE

Aparición de la Virgen
a una comunidad

El sepulcro de San Pedro Mártir

La Virgen y el Niño

275

ROGIER VAN DER WEYDEN　　　　THIERRY BOUTS

Piedad　　　　　　La Virgen y el Niño　　　　Adoración de los Magos

HANS
MEMLING

JERÓNIMO
BOSCH

La Purificación　　Extracción de la piedra de la locura

JERÓNIMO BOSCH

Mesa de los Pecados Mortales

SIGLO XVI

RAFAEL

La Visitación

La Sagrada Familia, llamada "La Perla"

La Virgen del Pez

VINCENZO CATENA

Cristo dando las llaves a San Pedro

Caída en el camino del Calvario

PALMA EL VIEJO

La adoración de los pastores

BERNARDINO LUINI

Salomé recibiendo la cabeza del Bautista

BERNARDINO LUINI

La Sagrada Familia

ANDREA DEL SARTO

La mujer del pintor

BALDASARE PERUZI

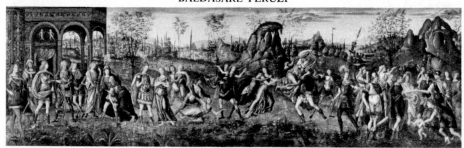

El rapto de las Sabinas

La continencia de Escipión

El emperador Carlos V, en Mühlberg   Felipe II   Felipe II con armadura

Venus recreándose con el amor y la música   Venus recreándose con la música

Venus y Adonis   Adán y Eva

TICIANO

El Paraíso

Ecce Homo

Autorretrato

Jesús y Simón Cireneo

TINTORETTO

Susana y los viejos

Episodio de una batalla entre turcos y cristianos

Judith y Holofernes

La muerte de Holofernes

JACOPO BASSANO

La reconvención a Adán

Entrada de los animales en el Arca de Noé

BERNARDINO LICINIO

LORENZO LOTTO

Micer Marsilio y su esposa

Inés, cuñada del pintor

VERONÉS

La familia de Caín, errante

Jesús discutiendo con los Doctores

El joven entre la Virtud y el Vicio

Susana y los viejos

LEANDRO BASSANO

El rico avaro y el pobre Lázaro

La vuelta del hijo pródigo

JUAN VICENTE MASIP

La Purificación

LEÓN PICARDO

La Anunciación

El martirio de Santa Inés

YÁÑEZ DE ALMEDINA

San Damián

JUAN DE JUANES

El Salvador

Don Luis de Castella de Vilanova

JUAN CORREA

San Benito bendiciendo a San Mauro

La Anunciación

PEDRO MACHUCA

La Virgen y las almas del Purgatorio

LUIS DE MORALES

San Juan de Ribera

La Presentación del Niño Jesús

Desposorios místicos de
Santa Catalina

EL GRECO

La Sagrada Familia

La Trinidad

La Crucifixión

San Francisco de Asís

La Virgen María

Un caballero de Santiago y
San Luis, rey de Francia

San Juan Evangelista   San Antonio de Padua   San Pablo

El médico   Don Rodrigo Vázquez   El licenciado Jerónimo de Cevallos

El caballero de la mano al pecho   Caballero joven   San Juan Evangelista
                                                              y San Francisco de Asís

JOACHIM PATINIR

Descanso en la huida a Egipto   Paisaje con San Jerónimo

VAN HEMESEN

LUCAS VAN WALKERNBORGH

La Virgen y el Niño   Paisaje con ferrerías

M. REYMERSWAELE   ANTONIO MORO

La Virgen amamantando al Niño   Retrato de dama   La reina María de Inglaterra

286

JAN VAN SCOREL

ADRIAEN CRONENBURCH

Un humanista

Mujer y niño

Dama holandesa

ALBERTO DURERO

LUCAS CRANACH

Retrato de un desconocido

Partida de caza en honor de Carlos V en el castillo de Torgau

HANS HOLBEIN

Retrato de un anciano

Partida de caza en honor de Carlos V en el castillo de Torgau

SIGLO XVII

ANNIBALE CARRACCI

Paisaje

CARAVAGGIO

David, vencedor de Goliat

GUIDO RENI

San Sebastián

GENTILESCHI

Moisés salvado de las aguas del Nilo

GUERCINO

San Agustín meditando sobre la Trinidad

San Pedro, libertado por un ángel

MASSIMO STANZIONE

Sacrificio ofrecido a Baco

El nacimiento del Bautista anunciado a Zacarías

JUAN BAUTISTA MAINO

Recuperación de Bahía del Brasil

La adoración de los Magos

ANDREA VACCARO

LUCCA GIORDANO

La muerte de San Javier

La muerte del Centauro Neso

El sueño de Jacob

San Juan Bautista

Isaac y Jacob

San Bartolomé

Una vieja usurera

FRANCISCO DE ZURBARÁN

Naturaleza muerta

Aparición del Apóstol San Pedro
a San Pedro Nolasco

Visión de San Pedro Nolasco

San Diego de Alcalá

JUSEPE LEONARDO

JUAN BAUTISTA MAZO

La Natividad de la Virgen

Partida de caza

DIEGO DE SILVA VELÁZQUEZ

La adoración de los Magos

Cristo crucificado

Cristo en la Cruz

María de Austria,
reina de Hungría

Retrato ecuestre de Felipe IV

La reina Doña Isabel de Francia
esposa de Felipe IV

Retrato de Felipe IV

El infante Don Carlos

Autorretrato

Don Gaspar de Guzmán,
conde-duque de Olivares

El príncipe Baltasar Carlos

Las Meninas

El bufón llamado
"Don Juan de Austria"

El bufón don Diego de Acedo,
"El Primo"

El bufón "Barbarroja"

La fragua de Vulcano

Las hilanderas

293

La adoración de los pastores

La Sagrada Familia del Pajarito

La Virgen del Rosario

Los niños de la concha

La Dolorosa

Descensión de la Virgen para premiar
los escritos de San Ildefonso

La gallega de la moneda

ANTONIO PEREDA

San Pedro libertado por un ángel

El socorro de Génova

CLAUDIO COELLO

DENIS VAN ALSLOOT

La Virgen y el Niño Jesús adorados por San Luis

Mascarada patinando

BRUEGHEL "DE VELOURS"

Paisaje con molinos de viento

Paisaje

Demócrito o
el filósofo que ríe

Ana de Austria, reina de Francia

El Cardenal-Infante en Nordlingen

El juicio de París

Las Tres Gracias

Ninfas y sátiros

El jardín del amor

San Jorge y el dragón

El archiduque Alberto

La infanta Isabel Clara Eugenia

ANTONIO VAN DYCK

El pintor Martin Ryckaert

El músico Enrique Liberti

La marquesa de Leganés

PIETER CLAESZON

Bodegón

WILLEM KLAESZ HEDA

Bodegón

JAN DAVIDSZ HEEM

Bodegón

ADRIAEN VAN UTRECHT

El descubrimiento de Filopómenes

DAVID TENIERS

JACOB JORDAENS

La familia del artista

Diana y ninfas
después del baño

El alquimista

PHILIPS WOUVERMAN

Un montero

Los dos caballos

G. METSU   BREKELENCAM   ADRIAEN VAN OSTADE

Gallo muerto   Una vieja   Concierto rústico

PAULUS POTTER   JACOB RUYSDAEL

En el prado   El bosque

El triunfo de David

El Parnaso

Paisaje con ruinas

Paisaje

Paisaje

Bacanal

Santa Cecilia

Combate de gladiadores

CLAUDIO DE LORENA

Las tentaciones de San Antonio

Paisaje con un anacoreta

HYACINTHE RIGAUD

Paisaje:
Entierro de Santa Serapia

Paisaje:
Moisés salvado en el Nilo

Luis XIV

301

SIGLO XVIII

GIOVANNI BATTISTA TIÉPOLO

La Inmaculada Concepción

Abraham y los tres ángeles

A. R. MENGS

Retrato de Carlos III

CLAUDE JOSEPH VERNET

Marina

LUIS PARET

Carlos III comiendo ante la corte

LARGILLIÈRE

María Ana de Borbón,
reina de Portugal

JEAN RANC

Fernando VI, niño

M. A. HOUASSE

Luis I, rey de España

Autorretrato

La familia de Carlos IV

Carlos III, cazador

La reina María Luisa

Fernando VII en un campamento

El 2 de mayo en Madrid: la lucha con los Mamelucos

Los fusilamientos del 3 de mayo

El pelele

Los zancos

La Maja desnuda

La Maja vestida

La romería de San Isidro

INDICE DE ILUSTRACIONES
Las cifras en negrita indican reproducciones en color

307

308

310

311

INDICE DE NOMBRES CITADOS

315

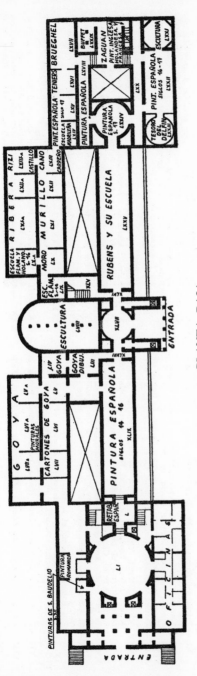

PLANTA BAJA

SALAS:

LI — (Rotonda de entrada). Izquierda: Pintura románica española y pintura de San Baudilio (s. XII). Derecha: Oficinas.

L — Retablos españoles (s. XV). Benabarre, Huguet, Maestro de Sigüenza, etc.

XLIX — Maestros españoles (s. XIV-XVI), Sánchez Coello, Juan de Juanes, Yáñez, etc.

XLVIII — (Pasillo). Goya y Bayeu.

LIII — Goya. Bocetos para los aguafuertes.

LIV — Goya. Pinturas: Crucificado y retratos.

LV, LVI y LVII — Goya. Cartones para los tapices.

LVII-A — Goya. Pinturas. La Pradera y la Ermita de San Isidro, etc.

LVI-A — Goya. Pinturas negras.

LV-A — Goya. Pinturas. Los fusilamientos, Carga de los Mamelucos, Autorretrato, etc.

XLVII — Rotonda central (sin cuadros).

LVIII — (Salón central). Esculturas grecorromanas, renacentistas y modernas.

XLVI — (Pasillo). Retratos de Van Dyck.

XLV — (Escalera central). Ribera y Ticiano.

LIX — Flamencos (s. XVI).

LX — Antonio Moro. Trece retratos. Claeszon y Van Scorel.

LX-A — Flamencos y holandeses (s. XVI).

LXI-A — Ribera. S. Andrés, S. Pedro, S. Sebastián, S. Cristóbal, etc.

LXII-A — Ribera. Apóstoles, Anacoretas, Magdalenas penitentes, Vieja usurera, etc.

LXIII-A — Castillo, Rizi y March.

LXIII — Alonso Cano: Cristo muerto, San Jerónimo. Carreño: Potemkin, La mostruo, etc.

LXI — Murillo: La Sagrada Familia, La Virgen del Rosario, El hijo pródigo, etc.

LXII — Murillo: La conversión de San Pablo. Paisajes. Valdés Leal, Iriarte.

LXIV — Pintura española. Mazo, Cerezo, Claudio Coello.

LXV — Bodegones y floreros de Zurbarán, Espinosa, Ramírez y Van der Hamen.

LXVI — Teniers el Joven. Las tentaciones de San Antonio y cuadros de género.

LXVII — Brueghel "de Velours". Los sentidos corporales y Guirnaldas.

LXVIII — (Pasillo). Pintura española (s. XVI). Correa, Sánchez Coello, Morales, Navarrete).

LXXI — La Dama de Elche.

LXXII — Sala de las Medallas. Floreros de B. Pérez. Retratos de Pantoja y de Villandrando.

LXXIII — Tesoro del Delfín.

LXX — (Pasillo). Obras de Pareja, Arias, Palomino, Orrente, etc.

LXXIV — (Rotonda). Antolínez, Valdés Leal, Claudio Coello, etc.

LXXV — Rubens y contemporáneos. Rubens. El nacimiento de la Vía Láctea, Ceres y dos ninfas. Quellyn, van Eyck, De Vos, etc.

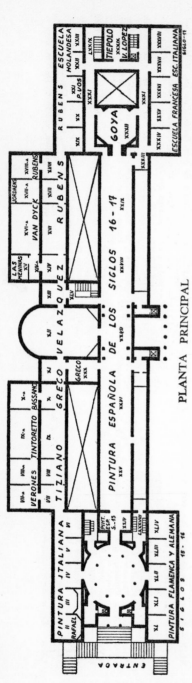

PLANTA PRINCIPAL

SALAS:

I — Rotonda de entrada (ala Norte). Victorias de Felipe IV.
II — Rafael: *Virgen del Pez, El Pasmo de Sicilia, El Cardenal, La Perla.*
III — Fra Angélico: *La Anunciación.* Botticelli, Legado Cambó.
IV — Italianos pre-renacentistas: Bellini, Mantegna, Gaddi, Da Ponte.
V — Renacimiento italiano: Andrea del Sarto, *La Gioconda,* Correggio.
VI — Maestros venecianos: Giorgione, Lotto, Romano, Pontormo.
XXIV — Primitivos españoles (s. XV). Berruguete, Bermejo, Gallego, etc.
XL — Primitivos flamencos: M. de Flemalle, Bouts, Mabuse, Metsys, etc.
XLI — Pintura flamenca: Van der Weyden, Memling, David, Cocke.
XLII — Pintura flamenca: Mabuse, David, Isembrandt, etc.
XLIII — Pedro Brueghel (*El triunfo de la muerte*), Patinir, El Bosco, etc.
XLIV — Pintura alemana: Durero, Holbein, Grien y Cranach, El Bosco, etc.
XXV, XXVI, XXVII, XXVIII, XXIX — Gran Galería: Ribalta, Maíno, Jusepe Leonardo, Zurbarán, Ribera, Pereda, Rizi, Murillo, Herrera el Mozo, Carreño, Cabezalero, Alonso Cano, Claudio Coello, Cerezo.
XXX — El Greco: *Un Santiaguista, San Sebastián, La Pentecostés,* etc.
IX — El Greco: *La Virgen, La Sagrada Familia, La Coronación,* etc.
X — El Greco: *La Anunciación, El caballero de la mano al pecho,* etc.
X-A — Los Bassano y Palma el Joven.
IX-A — Tintoretto. *El Lavatorio, La dama que descubre el seno,* etc.
VIII-A — Tintoretto. Veronés (*Susana y los viejos, Venus y Adonis,* etc.).
VII-A — Veronés (*La Magdalena penitente, Livia Colonna,* etc.).
VII — Tiziano (*La Dolorosa, Ecce Homo,* etc.), Moroni, Palma el Viejo, etc.
VIII — Tiziano: *Venus y la Música, El Marqués del Vasto, Felipe II,* etc.
IX — Tiziano: *La Bacanal, Autorretrato, Venus y Adonis,* etc.

XII — *Velázquez* (Sala principal): *La fragua de Vulcano, Los borrachos, Las lanzas, Las hilanderas, Felipe IV, Esopo, Menipo,* etc.
XIII — Velázquez: *Cristo en la Cruz,* retratos de *Góngora, Pacheco,* etc.
XIV-A — Velázquez: *La Coronación de la Virgen, El Inglés, Felipe IV.*
XV — Velázquez: *Las Meninas.*
XVI-A — Van Dyck: *El Prendimiento, Sir Endimion Porter y Van Dyck, Diana y Endimión,* etc.
XVII-A — Van Dyck: Retratos, Jordaens: *Meleagro y Atalanta, Tres músicos, Desposorios místicos,* etc.
XVIII-A — Rubens: *El Juicio de París, Las Tres Gracias, Andrómeda,* etc.
XVIII — Rubens: *Ninfas de Diana sorprendidas por Sátiros, El Jardín del Amor, Ninfas y Sátiros,* etc.
XIX — Rubens: Bocetos para la *Apoteosis de la Eucaristía, Los cuatro Evangelistas,* etc.
XX — Rubens: *El Rapto de Europa, Diana y Calixto, La Caza de Diana.*
XVI — Rubens: *La adoración de los Magos, Piedad,* etc.
XVII — Rubens: *María de Médicis, Atalanta y Meleagro,* etc.
XXI — Rubens: *Mercurio y Argos.* Pablo de Vos, Temas animalistas.
XXII — Pintura holandesa. Rembrandt, Potter, Van Ostade, Metsu.
XXIII — Pintura holandesa. Rembrandt, Artemisa. Ruysdael, Hobbema.
XXXI — (Pasillo). Luis Menéndez: Bodegones, Hubert, Giaquinto, etc.
LXXIX — (Escalera). Jordán, Vaccaro, Van Tulden, Bourdon, etc.
XXXIX — Tiépolo (*La Purísima, Ángel de la Eucaristía, San Francisco*).
Paret, Vicente López.
XXXIV, XXXV, XXXVI — Pintura francesa: Van Loo, Houasse, Largillière, Rigaud, Poussin, Watteau (*Fiesta en el parque*), Claudio de Lorena, Vouet, etc.
XXXVII y XXXVIII — Pintores italianos: Guercino (*Susana y los viejos*), Guido Reni, Crespi, El Domenichino, Albani, etc.
XXXII — Goya: *La maja vestida y La Maja desnuda, La familia de Carlos IV,* retratos de *Doña Tadea Arias, el pintor Bayeu, Maiquez,* etc.

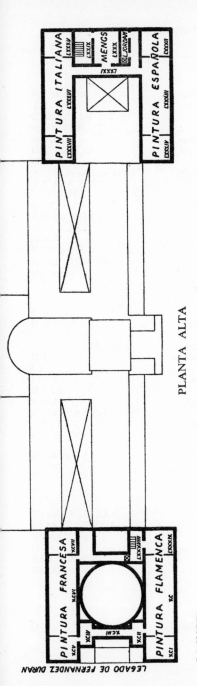

LEGADO DE FERNANDEZ DURAN

PINTURA FRANCESA · XCVI · XCV
PINTURA FLAMENCA · XCI · XC
XCIV
XCIII · XCII

PINTURA ITALIANA · LXXXVII · LXXXVI
MENGS · LXXV · LXXIX · LXXX · EL JORDAN
LXXXI
PINTURA ESPAÑOLA · LXXXII · LXXXIII

PLANTA ALTA

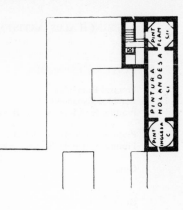

PLANTA SÓTANO

PINT INGLESA · C
PINTURA HOLANDESA · CI
PINT FLAM · CII

ALA NORTE:

Legado Fernández Durán: Salas XCII, XCIII, XCIV, XCV y XCVI. Van der Weyden, Morales, Herrera el Viejo, Hemeson, Ondry, Ferro, Capitán Juan de Toledo, Van Son, Juan de Boullogne, Franck el Mozo, Caracciolo, etc.

XCVII — Pintores franceses: Juan de Boullogne, Houasse, Gobert, Coypel, Drouais, etc.

XCVIII — (Escalera): Retratistas españoles (s. XIX). Los Madrazo, Vicente López, Esquivel, Gutiérrez de la Vega, Ferrant, Zuloaga.

XCI — Pintores españoles (s. XVI). Yáñez de la Almedina, Juan de Juanes, Machuca, Sánchez Coello, etc.

LXXXIX — Animalias de Snyders y de Fyt. Paisajes de Brueghel "de Velours".

ALA SUR:

LXXXV, LXXXVI y XXXVII. — Pintura italiana: Los Bassano, Parmigianino, Lucas Cambiaso, Gentileschi, Salvador Rosa, Vaccaro, Palma el Joven, Carracci, Guido Reni, Domeniquino, Bernini, Tintoretto, Strozzi, etc.

LXXXI — (Pasillo). Dibujos y pasteles de Tiépolo, Bayeu, Vicente López, Bernini, etc.
LXXX — Mengs. (Catorce retratos). Angélica Kauffman (Anna von Mural).
LXXXII — Pintores románticos españoles: Los Madrazo, Esquivel, Fortuny, etc.
LXXXIII — Pintores españoles (s. XVII): Mazo, Alonso Cano, Murillo, Carreño, Coello, etc.
LXXXIV — Maella, Bayeu, Paret, Canaletto, Joli, etc.

PLANTA SÓTANO

ALA SUR:

C — Pintores ingleses: Retratos de Reynolds, Rommey, Hopper, Gainsborough y Lawrence.
CI y CII — Pintores flamencos y holandeses: Doughet, Van Hers, Pourbus el Joven, Adrian Backer, Van der Neer, Stomer, Cornelisz van Hartem, Van der Lamen.

Oficinas: Ala derecha de la rotonda de entrada en el ala Norte.
Ascensores: Ala derecha de la rotonda de entrada (Sala LI). Entrada central y zaguán ala Sur.
Servicios: Planta baja. Rotonda de entrada (Sala LI). Entrada central y zaguán ala Sur.
XXXI (pasillo): Planta baja: Entrada ala Norte. Final Sala LXX (pasillo). Planta principal. Final Sala
Cafetería: Planta baja: Sala LXXIX, zaguán del ala Sur.

PINTURA ESPAÑOLA

Pintura Románica	P. Baja	Rotonda L-1
Retablos Españoles	»	» L
Pintura Española (s. xiv al xvii)	»	XLIX-LXXII
» » »	P. Pral.	XXV-XXIX
Pintura Española (s. xv.ii)	P. Baja	LXVIII
Pintura Española (s. xvii, xviii y xix . .	P. Pral	LXXIV-LXIII y LXII
Goya	P. Baja	LVII-A, LVI-A, LV-A, LVII, LVI, LV LIV y LIII
Goya	P. Pral	XXXII
Ribera	P. Baja	LVI-A y LII-A
Murillo		LXI y LXII
Alonso Cano	»	LXIII
El Greco	P. Pral	X, XI y XXX
Velázquez	»	XII, XIII, XIV-A y XV

PINTURAS FLAMENCA Y HOLANDESA

Flamencos y Holandeses (s. xvi)	P. Baja	LX-A
Escuela Holandesa	P. Pral	XXII-XIII
Pintura Flamenca (s. xv y xvi)		XL al XLIV
Pintura Flamenca (varios)	P. Alta	LXXXIX, XC y XCI
» » »	P. Sótano	CII
Pintura Holandesa (varios)	»	CI
Teniers	P. Baja	LXVI
Brueghel	»	LXVII
Jordaens	P. Pral	XVII-A
Van Dyck	»	XVI-A, XVII-A
Rubens	P. Baja P. Pral	LXXV XVI al XXI

PINTURA ALEMANA
P. Pral — XL al XLIV

PINTURA ITALIANA

Pintores italianos renacentistas	P. Pral	II a VI
Pintura italiana (s. xvii)		XXXVII-XXXVIII
” ” (s. xviii)	P. Alta	LXXXV-LXXXVI y LXXXVII
Rafael	P. Pral	II
Ticiano	»	VII-VIII y IX
Tiépolo	»	XXXIX

PINTURA INGLESA

Reynolds, Romney, Lawrence	P. Sótano	C

320